BONHOMME

YVAN ROBIN

Collection Faction
Sous la direction de Clémentine Thiébault

Les Éditions In8 ont reçu le soutien de la région Nouvelle Aquitaine et de la DRAC.

ISBN : 978-2-494730-12-0
Parution : août 2023

BONHOMME

YVAN ROBIN

FACTION

À Aimé

UN

Ainsi couché sur le ciment brûlant, on aurait pu penser qu'il était mort. Milo Karski « avec deux *k* » écoutait les bruits alentours. Cris, éclaboussures, piétinements mouillés. Sur l'écran de ses paupières fermées, que le soleil rendait presque transparentes, il projetait les images que lui inspiraient les sons. Les pleurs d'un bébé, qui pataugeait dans le pédiluve, le ramenèrent à la réalité.

À la rentrée, Milo Karski « avec deux *k* » aurait quinze ans, trente heures de cours hebdomadaires dans l'un des plus grands lycées de la capitale, et un demi-frère à temps complet. *Demi c'est pour la bière,* disait sa mère, *pas pour les êtres humains. Ce sera ton frère, point.*

L'adolescent avait la responsabilité de trouver le deuxième prénom de cet avorton. Il fit quelques essais infructueux, Pierre, Paul, Jacques, avant de laisser à nouveau sa pensée dériver.

Son maillot séchait sur son corps. Sa peau claire, aussi chaude qu'un capot de voiture, ne tarderait pas à rougir. Il ouvrit l'œil. Des oiseaux se poursuivaient en traçant des lettres tordues sur fond de ciel azur. Des *l* et des *e*. S'il s'agissait d'un présage, Milo fut incapable de le déchiffrer.

Il se redressa, les coudes en arrière comme les pieds d'un cadre photo. Mamette, sa grand-mère, enchaînait les longueurs dans le grand bain. Ses lunettes en plastique bleu lui donnaient l'air d'un poisson japonais. Une dame d'un certain âge draguait ouvertement le maître-nageur en profitant de l'ombre de son parasol. Un ballon jaune citron passait de mains en mains.

– T'es arrivé quand ?

Milo sursauta en reconnaissant la voix de Justine, la fille des voisins de sa grand-mère. Enfants, ils jouaient souvent ensemble. Depuis deux ou trois ans, leurs rapports avaient sensiblement évolué. Moins de jeux, plus de gêne.

– Hier.

Milo plaça la main en pare-soleil, pour distinguer le visage de la jeune fille en contre-jour. Malgré l'acné sur son front, Justine avait encore embelli depuis l'été dernier. Un bikini plus large que celui qu'elle portait actuellement avait laissé des marques blanches sur sa peau bronzée.

– Tu restes combien de temps ?

– Tout le mois de juillet.

– Cool.

Un frisson rafraîchissant parcourut la nuque du garçon à l'énoncé du mot *cool*.

Tom, le beau gosse du club de natation, exécuta un saut périlleux arrière et disparut sous la surface, où se formèrent de minuscules bulles de champagne.

– Cool, répéta Milo.

Justine s'assombrit. L'adolescent contrôla discrètement son apparence, ses jambes maigres étendues sur le solarium incliné, les trois poils qui débordaient de son slip.

– Au fait, je voulais dire… Désolée pour ton grand-père, c'est horrible.

– Ah merci. Mais c'est bon, t'inquiète… Ça va faire un an maintenant.

– C'est vrai ce qu'on raconte ?

– Euh… Ça dépend.

– Qu'ils ont pas… genre… retrouvé le corps.

Milo acquiesça en plissant le front, car la remarque lui procurait une sensation pénible.

– Pardon, elle dit. Je voulais pas…

– T'inquiète.

Un gosse en surpoids sauta, les jambes serrées entre ses bras. En retombant, la gerbe d'eau fit un bruit de vomi sur du carrelage.

– T'as jamais, j'veux dire… cherché à savoir ce qui lui était arrivé ?

– J'y ai pas vraiment réfléchi.

– Si ça se trouve, il est toujours vivant, elle dit.

Milo frotta son nez, dont le soleil chauffait l'arête.

– Ouais… Mais du coup, si c'est le cas, il veut peut-être pas qu'on le retrouve.

– Pas faux.

Les deux adolescents laissèrent le Silence s'installer entre eux tel un ami imaginaire.

– Bon, à tout', dit Justine.

Elle traversa la piscine en apnée, ressortit, respira, se hissa sur le bord à la force des bras comme une championne olympique. Louise et Farah, ses meilleures amies, lézardaient en terrasse du bar à bonbons. Elles sifflèrent en la voyant arriver.

Le plongeoir de cinq mètres surplombait le bassin à la manière d'un échafaud. Milo se sentait vulnérable dans son moule-bite, le seul modèle autorisé dans les piscines parisiennes qu'il fréquentait habituellement. Ici, les règles étaient moins strictes, les maillots et les jours plus longs. Les rangs de vigne et les lignes d'eau remplaçaient les rues sombres et bondées. Mêmes perspectives, autre décor. Et de l'air pur, à ne plus savoir qu'en faire.

Mamette monta l'échelle, essora ses cheveux en serpillière, s'enveloppa dans sa serviette, et rejoignit son sac isotherme posé dans l'herbe.

Milo laissait volontairement remonter l'ennui en surface tel un noyé. Il ignorait son smartphone, dans la poche avant de son Eastpak. Pourtant, une trace de rouille sur un mur de la salle des fêtes, le fond d'une poubelle vide constellé de chewing-gums, ou la coiffe hirsute d'un palmier, feraient de beaux clichés.

– Pédé, hurla un gamin d'à peine cinq ans à un autre, armé d'un pistolet en plastique.

Milo ferma les yeux pour éteindre le feu du soleil. Ses organes chauffaient en lui. De la soupe dans une marmite. Son dos grattait. Avant de partir en fumée, il se jeta à l'eau. La fraîcheur le saisit. Étourdi par le choc thermique, il effectua quelques mouvements de brasse nerveux puis se laissa aller à la détente.

*

Le bitume abîmé chahutait la Fiat Panda. Fenêtres ouvertes. Autoradio sur France Inter. Le soleil embrasait la cime des arbres comme des bâtons de dynamite.

– Tu t'es bien amusé ?

– Ça va.

Le paysage défilait. Du vert, qui tirait sur le jaune ou le marron en fonction de l'orientation. Parfois une cuve en acier accrochait le regard, une meule de foin évoquait un tableau de Van Gogh.

– *... plusieurs hectares de pinède. Des feux de forêt qui seraient d'origine criminelle,* dit la voix de la journaliste.

– Ça devient notre spécialité régionale, dit Mamette d'une voix désolée. Au moins ça éloigne les touristes.

– *... témoignage d'un pompier de la brigade de Coulais-sur-Vouvre...*

Elle baissa le son.

– On pourra aller en ville demain ?

– Quoi faire ?

Une moissonneuse-batteuse exhalait un nuage de poussière de blé. Milo moulina pour fermer la fenêtre.

– Je... J'ai besoin d'un short de bain.

– Il est pas bien celui que tu as ?

Mamette leva le menton pour se concentrer sur un virage. La végétation du bas-côté réduisait la visibilité.

– C'est pas un short. Je paierai avec mes sous.

– Bon, elle finit par dire. Tu veux manger quoi ce soir ?

– N'importe.

Milo avait beau répéter que le menu lui était égal, Mamette préparait toujours des recettes compliquées pensant lui faire plaisir.

La Panda s'immobilisa dans l'ombre de la vaste demeure de pierre. Du lierre recouvrait la façade. Un rosier grimpait sur l'énorme citerne en ciment, près de l'appentis. Des fleurs envahissaient les parterres. Un généreux potager s'étendait jusqu'au bas du terrain. Les arbres ployaient sous leurs fruits. Un véritable coin de paradis.

Quand Milo ouvrit la portière, Sugar vint lui lécher les doigts.

– Doucement, doucement, Chougare, dit Mamette. C'est l'odeur du chlore qui le rend fou… Tu veux bien étendre les serviettes ? Je vais faire la cuisine.

Le berger allemand noir et feu tournait autour de sa queue en aboyant. Milo le regarda faire en souriant. La vie est un éternel recommencement.

DEUX

Du temps de sa carrière sur les rings, le grand-père de Milo se faisait surnommer *Giant Joe*. Boxeur, cascadeur, militaire, infatigable baroudeur, il avait tout vécu, tout vu. Son regard bleu perçant vous tailladait mieux qu'un couteau à viande, sa poigne vous broyait les phalanges, sa voix grave semblait jaillir des entrailles de la Terre.

L'adolescent tira la porte du garage, qui glissa sur son rail. En s'allumant, la rampe de néon crépita comme une poignée de gravillons jetée dans une gamelle en fer. À une poutre pendait encore la chaîne qui soutenait le sac de frappe, avant. Chaque chose était à sa place sur l'établi de son grand-père. Les tournevis la pointe en bas, petit et gros marteaux, les boulons, les écrous et les clous dans des boites de Benco. La burette d'huile. Le jerrican d'essence.

Mamette randonnait avec ses copines. Sans son quota de dix-mille pas, elle considérait sa journée gâchée. Milo avait mémorisé les consignes, avant de chiffonner le post-it. *Arroser jardin, Récolter tomates, haricots verts, cerises, Regarder poulailler si œufs. Bises. M.*

Les corvées attendraient.

La Honda CG 125 reposait sur la béquille, au-dessus d'une tache d'huile de la taille d'un pancake.

Milo prit place sur le siège en skaï rapiécé au ruban adhésif. Désormais, ses pieds touchaient le sol. Mais son grand-père n'était plus là pour lui enseigner les rudiments du pilotage.

Avec le bout de sa tong, il déplia le levier du kick. En proie à une excitation presque charnelle, il transpirait à grosses gouttes. Tour de clef. Il ouvrit le robinet d'essence, posa le pied sur le démarreur, les doigts sur la manette d'embrayage. Il inspira les effluves de poussière et de cambouis. Vite. Milo révisait mentalement ces gestes depuis trop longtemps.

D'un coup sec, il enfonça la pédale en tournant l'accélérateur. Les parpaings renvoyèrent l'écho du crissement des pignons. Il renouvela l'opération, debout sur les cale-pieds pour s'aider du poids de son corps. La moto pétarada. Un nuage de fumée grise envahit le garage.

Le bruit tonitruant risquait d'ameuter le voisinage, de résonner jusqu'aux sentiers pédestres des bords de Vouvre. Milo imagina sa grand-mère à l'arrêt, sourcils froncés, son bâton de marche nordique en suspens. Dans la panique, il coupa le moteur.

En quête de la photo ultime, il erra dans la cour avec son téléphone. Nuage en forme de visage. Éclats d'ardoises dans un massif d'hortensias. Fissure entre les pierres de la façade, où le chiendent prenait racine. Piquet de clôture fendu, lardé de pointes rouillées.

Sous l'appentis, un oiseau mort retint son attention. Un rouge-gorge au ventre bombé. Couché dans une mince flaque. Ses plumes orangées impeccables, comme s'il avait voulu se faire beau avant de s'en aller.

Sans réfléchir ni chercher la lumière, il immortalisa l'oiseau. Les serres recroquevillées évoquaient les poings d'un bébé assoupi. Un rayon de soleil obliquait sur son bec entrouvert.

Il appliqua un filtre argentique, redimensionna l'image en carré pour la publier sur Instagram. Milo allait encore passer pour un cinglé, mais il s'en foutait. En surveillant l'audience de la publication, sa tristesse lui frappa le cœur. L'innocence animale, la pureté, la beauté, lui donnèrent envie de pleurer.

Près du poulailler, à côté du crucifix en fer forgé que Mamette avait installé en mémoire de son mari, Milo creusa la tombe de l'oiseau mort. La terre une fois tassée, il confectionna une croix avec des chutes de bois. Milo ne murmura aucune prière, il se contenta d'observer les volatiles encore vivants qui vaquaient d'une branche à l'autre. La notification *JusT_In a aimé votre photo,* lui redonna le sourire.

*

En fin de matinée, un troupeau de blondinets en bermuda débarqua dans la cour.

– Bonjour monsieur, dit leur porte-parole en lissant d'une main un pli récalcitrant sur sa chemisette orange. On a monté notre camp près des gorges. Et…

Monsieur, le mot heurtait Milo autant qu'un coup de genou dans la cuisse.

– Doucement Sugar.

Le chien s'éloigna quand l'adolescent esquissa un mouvement de jambe.

– Nos réserves d'eau pour les douches et la vaisselle sont à sec. Ce serait possible de…

Le tuyau d'arrosage serpentait dans l'herbe, difficile de refuser. Les scouts guettaient la réponse de Milo avec une réserve étonnante pour des enfants de cet âge.

– Oui, oui, pas de soucis.

En un éclair, les deux bidons de vingt litres furent remplis d'eau de la citerne. Les gosses étaient organisés comme une brigade de restaurant. Chacun tenait son rôle avec beaucoup de sérieux et de concentration.

– Merci monsieur.

Milo chassa l'air brûlant d'une main.

– De rien, mais arrêtez de m'appeler *monsieur.*

– Est-ce qu'on peut faire quelque chose pour vous aider ?

– Non… Enfin si, peut-être.

Quand Mamette rentra de balade, le jardin était arrosé, les œufs au frigo. Un plein panier de fruits et légumes trônait sur la table de la cuisine.

TROIS

– Classe, le short, c'est un Quiksilver ?

Farah intimidait les garçons avec ses formes généreuses, son teint hâlé de métisse (père libanais, mère marocaine), son épaisse chevelure et ses yeux clairs.

– Ouais.

Il s'agissait d'une vulgaire imitation à 9,99€ mais Milo n'osa pas la contredire.

– Cigarette ? demanda Tom en tendant son paquet de Marlboro à la petite bande rassemblée autour de la table en plastique jaune.

– C'est bon, j'ai des *puffs*.

– J'ai arrêté, dit Milo.

– T'es un génie mec.

– En vrai, comment t'as fait ? demanda Louise en tirant sur sa clope électronique jetable. Moi c'est impossible, j'kiffe trop ça...

Elle souffla un nuage saveur framboise entre ses cheveux blonds qui tombaient en rideau autour de son visage osseux.

– Pas eu le choix quand j'ai attrapé le Covid.

– T'en fumais combien ? demanda Justine, qui connaissait trop Milo pour le croire sur parole, mais pas suffisamment pour être sûre qu'il mentait.

– Par jour ?

Elle opina, en refrénant un sourire.

– Oh j'sais pas… Beaucoup trop en tous cas.

Tom claqua des mains pour changer de sujet.

– Bon, mes petits chéris, tout le monde est chaud pour cette nuit ?

La fille du maire, qui tenait le bar à bonbons, l'interrompit sèchement.

– Par contre, si vous clopez, c'est derrière la grille.

Milo suivit le mouvement et s'assit sur le parvis de la salle des fêtes, dos à une jardinière. Les géraniums lui chatouillaient les oreilles. La fumée l'indisposait.

– Tu le dis, hein, si ça te gêne…

– Non, non, c'est bon.

– Milo, tu fais quoi cette nuit ? demanda Tom.

La peau de Justine se couvrit de minuscules picots à cause d'un courant d'air. Milo frissonna pour elle.

– Rien… Enfin, je dors quoi.

– Cette nuit ? demanda le petit frère de Farah en levant le nez de son écran, où un personnage crapahutait sur des trains en marche dans un décor bariolé.

– Si tu parles, je balance des *doss*, compris ?

Le gosse ravala sa honte et se replongea dans *Subway Surfer*.

– On fait le mur pour se baigner, dit Justine. C'est cent fois mieux la nuit.

– Elle parait plus chaude, dit Farah.

– On y va ensemble en vélo si t'es partant.

Avant que les idées de Milo aient le temps de s'éclaircir, il s'entendit répondre :

– De ouf.

*

Mamette se passionnait pour les ravages du tourisme de masse dans les îles grecques.

– On est quand même plus tranquilles ici, tu crois pas ?

La télévision sophistiquée renvoyait un peu du bleu de la mer sur le mur situé derrière.

– C'est clair.

Milo embrassa la joue de sa grand-mère, rêche comme du papier de verre, et monta l'escalier grinçant. Depuis sa chambre sous les combles, il écrivit à Justine via Insta.

Ne m'attends pas.

Justine lâcha un *vu*. La porte restait ouverte, pour capter le WiFi. Milo piétina autour du lit en se frottant le menton, puis pianota de nouveau.

Je vous rejoins dès que la voie est libre.

Elle répondit du tac-au-tac cette fois.

Pas prête non plus, mon père scotche sur la télé. Un truc sur des vacances qu'il pourra jamais se payer.

Milo double-cliqua sur le message. Un cœur apparut.

ICI C'EST LA MÊME !!!

Suivi d'un smiley mort de rire.

*

L'air frais s'engouffrait sous son tee-shirt alors qu'il pédalait derrière Justine. Ils empruntèrent un chemin blanc aux ornières comblées avec des morceaux de tuiles. Milo craignait pour les pneus du vélo de Mamette. Un modèle électrique qui pesait une tonne, et dont la batterie ne fonctionnait plus.

– Ça fait les cuisses, dit Justine en se retournant.

La lune éclairait les blés moissonnés et les grosses pierres disséminées dans le champ.

Après une trentaine de minutes d'effort, ils cachèrent les vélos dans un taillis, au bord du sentier forestier, derrière le stade. Tom, Louise, Farah et Shen, un Asiatique que Milo connaissait seulement de vue, avaient fait un feu de camp entre des parpaings. Une enceinte bluetooth diffusait du rap de dépressif.

– Ah, les amoureux, on vous attendait, dit Tom.

Justine lança un regard venimeux en ouvrant son sac à dos. Elle sortit une bouteille de Volvic remplie d'un liquide trouble. Tom termina sa bière et se frotta les mains.

– C'est quoi ? demanda Shen.

Milo détestait sa façon de regarder Justine.

– Un *cercueil*.

– T'es une vraie mère pour nous, il dit, en tendant le bras vers la bouteille.

L'Asiatique s'envoya deux longues gorgées, puis rota dans son poing.

– Sa mère, c'est un truc de bonhomme.

Les bières sorties du pack tournaient autour du feu. La discussion filait.

– Vas-y, on raconte des histoires d'horreur, proposa Farah.

– T'en connais toi ?

– Nan.

Dans le brasier, une branche craqua et un morceau calciné dégringola près de la sandale de Louise.

– Moi si, dit Shen.

Avec une profusion de détails sordides, il décrivit un naufrage en mer de Chine. Les cris, la nuit, la panique. L'adolescente de seize ans dont les parents périrent. Qui serra contre elle les corps morts jusqu'au matin. Shen jeta sa canette dans l'obscurité, avant de conclure.

– Cette fille, c'était ma mère.

Quand vint son tour de goûter au *cercueil,* Milo cacha son aversion pour le goulot des bouteilles partagées. L'alcool lui brûla la langue, puis toute la tuyauterie en descendant. Le parfum anisé, qui prenait le pas sur le reste, lui retourna l'estomac. Il insista, pour faire bonne figure, avant de passer le relais.

Tom réclama l'attention. Les flammes éclairaient son profil de surfeur. Il portait un sweat à capuche Vans et des *Air Force one custom.* Le genre de fringues dont tout le monde rêvait.

– Une histoire vraie, il annonça. Certifiée. Un truc de dingue… La piscine là, elle a été creusée par des prisonniers allemands, pendant la seconde guerre mondiale.

– Tout le monde le sait ça, dit Justine.

– Oui, sauf que ce qu'on sait moins, c'est qu'une fois la cuve terminée, les dix-huit prisonniers ont été fusillés et les corps noyés dans la chape béton…

– Tu veux dire qu'on se baigne sur la tombe des soldats allemands ?

– C'est *nimp,* j'y crois pas une seconde, dit Justine.

– Tu demanderas à Malaurie. Ils ont retrouvé des papiers dans les archives de la mairie…

– C'est qui Malaurie ?

– La fille du maire, celle qui tient la caisse.

– La meuf avec le gros pétard et le string jusqu'aux oreilles ?

– Ouais… Elle a été bien pistonnée en tous cas, pour le job d'été. Merci papa !

– C'est clair, dit Farah. Moi je voulais le faire. T'es payée trois cents euros pour vendre des Fraises Tagada. J'y suis déjà tous les jours à la piscine, alors bon…

– Toi en plus, tu payes pour y aller.

– Ouais, enfin trente balles pour la saison ça va…

– Eh mais je paye pas ce prix-là, moi ! dit Shen.

– C'est plus cher pour les Chinois.

– De l'autre côté de la Vouvre, c'est pas dans la communauté de communes, expliqua Louise. Les impôts de tes parents financent pas les infrastructures d'ici.

– Y'a pas de piscine dans ma commune.

– T'as qu'à te baigner dans la Vouvre.

– J'aime pas, tu sens la poissonnerie après…

La bouteille vide se ratatina comme un insecte sous les flammes.

– À toi, dit Tom.

– J'ai pas vraiment d'histoire terrifiante…

– Tu plaisantes, dit Louise. La disparition de ton grand-père, c'est pas un truc flippant ?

– Il préfère peut-être pas en parler, dit Farah.

– Non, ça va. Et ce serait flippant s'il avait été séquestré ou tué… Mais on n'en sait rien en fait.

– Ça empêche pas d'émettre des hypothèses.

– Genre ?

– Genre, il avait pas que des amis le ieuv…

Milo resta abasourdi par la remarque de Louise et par l'alcool.

– Tu penses à qui ?

– Le père Thomasi, par exemple.

– Le boucher de Mormeuil ?

– Ouais.

– Ce gros facho, dit Shen en crachant dans les cendres.

– Il parait que ton grand-père kiffait bien la bouchère, donc bon, il aurait eu des raisons de se venger. Enfin, je dis ça je dis rien.

*

En haut du plongeoir de cinq mètres, condamné pour raison de sécurité, Milo respirait le vent encore chargé des effluves du feu de bois éteint avec les pieds. Les grillons aiguisaient leurs couteaux. En bas, les autres rejoignaient les échelles en produisant un peu d'écume.

– Saute, si t'as des couilles, dit Shen.

Poussé par le désir de faire ses preuves, le cœur haut, presque dans la gorge, Milo se jeta dans le vide sans réfléchir. En visant la lune trouble, qui se reflétait en surface.

Bras serrés le long du corps. Yeux fermés. Il vola une poignée de secondes. Le vent s'engouffrait sous son short, déformait les traits de son visage. Quand il percuta l'eau, ses plantes de pied claquèrent, ses tympans se rétractèrent, le chlore inonda ses sinus. Il resta désorienté un moment, avant de remettre le monde dans le bon sens.

Comparée à la température ambiante, qui avait chuté, l'eau paraissait chaude. Milo essaya de chasser les paroles de Louise, qui tournaient en boucle dans sa tête. La théorie fumeuse de l'adultère et du meurtre, commis par le boucher.

En nageant, il imagina les cadavres des dix-huit soldats, au-dessous. Leurs squelettes dans des positions bizarres. Avec des trous dans le crâne, des dents en moins, des os fracturés. Ces types n'avaient sans doute pas d'autre choix que de partir à la guerre. Milo refuserait toujours de se battre. Au pire, il serait photographe de guerre, pour témoigner de la barbarie.

Alors qu'il pataugeait parmi ses idées noires, il aperçut Shen escalader le mur des cabines.

– Attendez, il cria en chuchotant.

Justine se retourna, lui adressa un signe que la pénombre rendait indéchiffrable. Une remontée javellisée lui brûla la trachée.

Des phares jaunes contournaient le stade en direction de la piscine. Il sortit de l'eau pour se réfugier entre la haie de conifères et le grillage donnant sur la propriété voisine. Un barbecue déglingué. Les jouets des gosses traînant dans l'herbe. Une niche sans chien.

Une vieille Citroën s'arrêta sur le parking, moteur au ralenti. Des riverains avaient dû prévenir l'employé communal. Pas de gendarmerie à des kilomètres à la ronde, ici, chacun était un peu flic.

La portière claqua. Une silhouette s'approcha de la grille d'entrée, la secoua dans un fracas de métal. Celui que les gens du cru surnommaient Tarzan, scruta les environs, écouta, et s'en retourna à son utilitaire. Milo resta caché, par précaution, alors que le véhicule s'éloignait.

Dix minutes plus tard, la C15 repassa à deux à l'heure. Les feux arrière se dissipèrent dans la nuit. Il était trois du mat', Milo avait faim et froid. Une fatigue accablante pesait sur ses épaules.

Dans le sous-bois, il retrouva son vélo d'emprunt avec le pneu arrière à plat. En maudissant ses amis d'un soir, Milo marcha en traînant l'inutile épave. Il s'enfonça dans la nuit noire avec la rage au ventre.

QUATRE

– Debout, dit Mamette en ouvrant les volets de la chambre de son petit-fils. Il est treize heures, j'ai fait des tomates farcies.

Milo s'enroula dans le drap. Sa propre haleine lui donnait la nausée.

– Hmmm.

Le soleil dissolvait sa rétine comme de l'acide. Il descendit l'escalier en songeant au vélo. Son grand-père l'aurait aidé à démonter la roue, localiser la fuite, puis coller la rustine, tout en garantissant le secret de son escapade nocturne.

Milo ouvrit le placard, au-dessus de l'évier.

– D'après toi, il est où ?

– Inutile de chercher le chocolat en poudre, le repas est prêt. C'est trop tard pour le petit-déjeuner.

Mamette transvasait le contenu du lave-vaisselle sur l'îlot central.

– *Giant Joe,* précisa Milo.

Aucune photo, aucun souvenir, hormis la croix de fer dans le jardin, les outils et la moto, au garage. Bientôt un an que son grand-père avait disparu. Il faudrait encore attendre des années avant qu'il ne soit déclaré mort, et qu'on puisse l'enterrer officiellement.

– Arrête de l'appeler comme ça… Tu mets la table s'il te plaît.

Milo attrapa deux assiettes encore chaudes.

– À ton avis…

Mamette s'immobilisa, remonta les lunettes sur son nez pelé par le soleil.

– Écoute, j'en sais rien. Laisse-le où il est.

La dureté du ton surprit l'adolescent. Mamette se radoucit.

– Ton grand-père est parti se balader avec chien et fusil…

Elle poussa un soupir fataliste.

– Et Chougare est revenu sans lui. Il a dû tomber dans une crevasse, se jeter dans les gorges, ou se… On saura sans doute jamais.

La vieille dame montrait rarement ses émotions, elle les gardait enfouies en elle comme un trésor.

– Mais…

– Les flics et les pompiers ont ratissé la zone de long en large, et… Rien. À croire qu'il voulait pas qu'on le retrouve.

– C'est bizarre.

– Quoi donc ?

– Il disait toujours qu'avant de mourir, il écrirait le roman de sa vie… Le grand roman de *Giant Joe*.

– Tu sais, il avait promis beaucoup de choses. C'était un beau-parleur.

Milo posa une assiette sur la grande table en chêne.

– Dehors !

Il leva le nez pour savoir si Mamette s'adressait au chien ou à lui.

– On va pas manger à l'intérieur par ce temps.

*

En attendant que Mamette rentre du yoga, Milo chillait sur le canapé. Malgré la chaleur, l'idée d'aller à la piscine ne lui effleurait pas l'esprit. Il s'attarda sur le dernier message de *JusT_In,* reçu à six heures du matin.

Désolée, j'ai préféré rentrer avec Shen plutôt que toute seule… Askip tu t'es fait embarquer. J'espère que ça va… Smiley inquiet.

La mention *vu,* cruelle et gratuite, indiquait à l'adolescente que le destinataire ne daignait pas répondre. Milo n'était pas d'humeur à faire semblant.

Sur la terrasse, le soleil l'accabla. Des avions avaient tailladé le ciel de cicatrices blanches. Un hélicoptère jaune et rouge passa à basse altitude, dans un bruit de mitraillette. Deux papillons se coursaient dans un vol désordonné. Ils se cachèrent dans la glycine pour faire leur petite affaire.

Au plafond de la chambre de Mamette, une trappe découpée dans le lambris permettait d'accéder au grenier. Du rangement sous l'escalier, Milo délogea la perche télescopique qui actionnait l'ouverture. Il déplia l'échelle en accordéon et grimpa sous les combles. Il tira la chaînette, l'ampoule s'alluma.

La laine de verre grossièrement découpée rebiquait entre les poutres de la charpente. Milo éternua. À genoux sur le contreplaqué, il évita scrupuleusement les tas de granulés roses et les pièges à souris. Des sacs-poubelle contenaient des vêtements de bébé, des jouets en plastique, du linge de maison. D'un œil, il scanna la pièce. Cartons de vaisselle, objets de décoration démodés, disques vinyles de *Sheila, Brel,* et *Boney M.* Toute une vie. Celle d'avant *Marketplace, Le bon coin* et *Vinted.*

Parmi la collection de cassettes vidéo aux jaquettes gondolées, il fut choqué de découvrir des films porno vintage. *L'arrière-train sifflera trois fois. La quéquette du Graal. Trois zobs et un cul fin.* Des gros plans perturbants. Une profusion de cheveux en choucroute et de poils broussailleux. Impossible. Son grand-père Jean ne regardait pas ça. Sa grand-mère encore moins.

D'une valise en carton bouilli, Milo exhuma de vieilles photos couleur, collées entre elles par l'humidité. Il les parcourut comme on mélange un jeu de cartes. Jean posant fièrement avec son fusil de chasse, trois faisans morts à la ceinture, épaule contre épaule avec le père de Mamette. En uniforme, appuyé à la carlingue d'un avion de l'armée, ou dans la jungle avec un autochtone craintif. Giant Joe sur le ring, dans son habit de lumière. À l'époque de sa carrière de boxeur. Ses gants de cuir comme des massues. Ses pectoraux luisants. Ses babines gonflées par le protège-dents. Une affiche pliée en quatre. *Grand gala de boxe. 20H salle Blanchard. Le choc des titans. Giant Joe contre Doug Vaillant. 10 Francs.* Une énorme ceinture, ornée d'une plaque dorée représentant deux hommes en plein combat. Une série de quatre photos d'identité du grand-père, son calot militaire de travers et un œil au beurre noir. Avec son téléphone, Milo captura son portrait. Le flash se reflétait sur le verni brillant.

Enfin, il trouva un Stetson, qui sentait la vache et le moisi. Quand il l'ajusta sur son crâne, un sentiment de confiance l'envahit. Comme s'il avait soudain dix-sept de moyenne générale, et des yeux vert émeraude. Il fit un selfie, mais le résultat ne reflétait pas son état d'esprit. Le genre de différence qu'il y a entre l'image sur le paquet de céréales et la réalité, une fois qu'ils sont versés dans le bol.

Avant de redescendre, il s'attarda sur une caisse à monnaie en fer, fermée à clef. Il la retourna, la soupesa, la secoua doucement. Tout portait à croire qu'elle renfermait un contenu précieux. Le roman posthume de *Giant Joe* par exemple. Une fois dans sa chambre, Milo trouverait un moyen de forcer la serrure.

*

Mamette servit l'apéritif au salon. Coca zéro pour son petit-fils, Lillet blanc pour elle, assorti d'un trait de liqueur d'orange. Des graines à picorer et des morceaux de gouda hérissés de cure-dents.

À la télévision, le journal régional de la trois s'ouvrait sur une carte de la vallée de la Vouvre, avec un point rouge juste au-dessus de leurs têtes.

– Qu'est-ce qui se passe encore, dit Mamette. On a déjà les incendies, ça commence à bien faire.

- *… petit village de Mormeuil, d'à peine trois-cents habitants, à proximité des gorges de la Vouvre, que l'évacuation d'un campement scout des suites d'une probable intoxication alimentaire…*

À l'image, un hélicoptère survolait une zone boisée, puis le bourg du village, son terrain de boules, son église romane. Depuis un promontoire rocheux en surplomb de la rivière, un envoyé spécial commentait la situation.

- *… maux de ventre, vomissements, diarrhée, treize d'entre eux ont dû être transportés aux urgences pédiatriques de Coulais-sur-Vouvre. Sur décision du préfet, l'évacuation du camp a eu lieu en fin de matinée, par mesure de précaution. Selon les premières constatations des soignants, il pourrait s'agir de cas de botulisme, mais les fortes chaleurs des derniers jours pourraient également être en cause…*

Mamette avalait de minuscules gorgées d'apéritif, en savourant l'amertume et l'effet relaxant.

– C'est quoi le botulisme ?

– Ouh là … Ton grand-père t'aurait expliqué ça mieux que moi. Il me semble que c'est dû à une bactérie dans les boites de conserve pas hermétiques, ou la viande mal cuite.

– …l'enquête devra déterminer si des manquements avérés au règlement…

La caméra filmait un groupe d'enfants en bermudas et chemisettes orange. Interrogée au micro, une mère de famille aux yeux rougis ne mâchait pas ses mots.

– C'est inadmissible, nous sommes plusieurs parents déterminés à porter cette affaire en justice, pour que les coupables soient condamnés.

CINQ

Milo enchaîna quarante longueurs en brasse coulée. Le crawl lui posait des problèmes de coordination, il ne savait jamais quand respirer et partait en biais comme les caddies du supermarché.

En sortant de l'eau, ses muscles palpitaient. Il s'ébroua façon chien mouillé. Les gouttes constellèrent les dalles de pierre. Il déplia sa serviette sur le solarium en ciment, et s'allongea sous l'astre brûlant. Sa nuit avait été agitée, hachée de rêves inquiets à base d'oiseaux morts, de scouts malades, d'images pornographiques et de disparitions inquiétantes.

Alors qu'il somnolait, Farah vint s'asseoir à côté. Elle portait un deux pièces à motif jungle. Mamette leur jeta un regard furtif à travers ses lunettes bleues, en nageant sur le dos.

– Tu viens à la fête demain soir ?
– Quelle fête ?
– Chez Louise. Le groupe de Tom fait un concert, ça va être une dinguerie.
Visiblement, Milo n'était pas encore totalement intégré au clan local.
– Pas invité.
– Y'aura Ju.
Il haussa les épaules, et fit semblant d'ignorer Shen et Justine qui attachaient leurs vélos au râtelier, devant la salle des fêtes.
Farah s'appuya sur un coude, réajusta son haut de maillot.
– J'ai perdu une boucle d'oreille, l'autre nuit.
Shen et Justine passèrent le guichet, pour aller se changer dans des cabines séparées.
– Où ça ?
L'espace d'une seconde, Milo revit le petit complexe nautique plongé dans la torpeur. Tiédeur de l'eau, clarté de la lune, chant des grillons. Et les phares jaunes.
– Dans la grande j'imagine, je les avais gardées. Tu veux bien m'aider à chercher ?

Avec les lunettes de sa grand-mère, il explora le bassin en apnée. À cinq mètres de profondeur, ses oreilles se bouchaient, les sons disparaissaient, les préoccupations terrestres s'évanouissaient.

Farah remontait régulièrement prendre sa respiration. Son corps, plus épais que celui de Milo, ondulait gracieusement parmi les scintillements dorés.

L'adolescent effleurait la peau rugueuse du revêtement bleu clair. Les soldats morts juste en dessous lui firent penser à son grand-père.

Giant Joe avait pris part à des opérations sur le terrain, dans des *zones de conflit*. Angola, Tchad, Kosovo. Son vécu, dans le désert ou les montagnes, demeurait un mystère. En cas de question embarrassante, il se contentait de souffler, pour évacuer les mauvais souvenirs, et de changer de sujet. D'évoquer ses exploits. Sa cascade au guidon d'une Triumph dans un film jamais diffusé, ses victoires par KO, ou le livre qu'il publierait un jour.

Milo songea au fœtus de son demi-frère, immergé dans le liquide amniotique. Ce minuscule corps difforme en apesanteur. Un bébé qu'il n'avait pas vraiment désiré, et pour lequel il devait trouver un prénom de secours.

Le brouillard se dissipait à mesure que l'oxygène venait à manquer. L'ivresse des abîmes chlorés. L'évidence le frappa. Ce serait Jean. Le prénom du père de sa mère. Le *Giant Joe* des rings de boxe. Le héros de la famille.

Dans un angle, il localisa le bijou perdu. Un cercle de métal argenté de la taille d'une pièce d'un euro, muni d'une attache en point d'interrogation. Il saisit la boucle entre deux doigts, et nagea victorieux vers la lumière.

Farah l'embrassa sur la joue.

– Sérieux, t'es trop fort.

*

La fille du maire lui rendit la monnaie. Elle portait un bas de maillot échancré, en partie enfoui dans la raie de ses fesses pommelées, un *crop top* blanc sous lequel pointaient ses tétons perforés de minuscules haltères. Milo s'assit sur une chaise en plastique avec son Mister Freeze.

– Alors, tu t'es fait cramer par Tarzan ? T'as dormi chez les flics ? demanda Shen.

Pectoraux dessinés, tablettes de chocolat, mèche brune sculptée au sèche-cheveux, yeux en amande, tout énervait Milo chez ce mec. Jusqu'à son short bleu, brodé du logo Ralph Lauren.

– Jamais de la vie… Je suis sorti dix minutes après, mais vous étiez partis comme des crevards.

Justine observa du coin de l'œil la réaction de Shen, qui se força à rire.

– Emmène ton téléphone la prochaine fois, c'est hyper dangereux de se balader sans téléphone de nos jours… On a vraiment cru que…

Tu as cru, corrigea Justine.

– J'ai dû rentrer à pied, mon vélo était à plat.

Milo laissa le Silence prendre place sur la chaise libre, à côté de Shen. Il croqua une bouchée de glaçon aromatisé au coca, avant de porter le coup de grâce.

– Mais j'accuse personne.

SIX

L'étroit sentier bordait une crête qui dominait les gorges. Mamette marchait devant, Milo suivait. Trente mètres en contrebas, la Vouvre s'élargissait, avant de s'étrécir pour se replier sur elle-même, comme une sorte d'intestin géant. Sa couleur bleu lagon, due à la nature argileuse des sols, et la canicule qui s'installait, invitaient au grand plongeon. D'ailleurs, on apercevait les culs blancs des baigneurs naturistes qui pullulent dans les environs.

Sugar trottina à la rencontre de l'adolescent, qui s'accroupit.

– Montre-moi, il chuchota. Montre-moi où il est.

Milo chiffonna les oreilles du chien, qui jubila en émettant un bruit de portillon rouillé.

– Allez... Tu es le seul à savoir.

Sugar tourna sur lui-même, renifla un genévrier desséché, des crottes de lapin pareilles à un jeu de billes éparpillé, et se décida à suivre une piste.

– C'est bien mon chien.

Mamette s'assit sur une grosse pierre pour boire et s'asperger le visage.

– Sugar veut me montrer quelque chose…

Elle referma le bouchon de sa gourde, leva les yeux vers la visière de son chapeau.

Le chien s'aventurait entre deux rochers, sur un chemin en pente raide vers la rivière. De l'autre côté, des rapaces nichaient dans la falaise. Au ciel, d'autres tournoyaient sans se soucier des drames terrestres.

– Je vous attends là, dit Mamette.

L'ombre de la rocaille dessinait des profils monstrueux sur la Vouvre. Un canoë jaune s'enfonça dans un buisson de ronces, et déclencha les rires d'un couple en pédalo.

Le chien accéléra, les Converse de Milo dérapaient dans la pente.

– Doucement Sugar…

Ils atteignirent un belvédère naturel, une dizaine de mètres en surplomb du canyon. L'entrée d'une grotte, creusée dans la paroi. Au sol, autour des vestiges d'un feu de camp, canettes de bière vides, capsules, et emballages de préservatif rappelaient la petitesse des hommes. Milo se posta au-dessus des cendres pour prendre une photo. Le résultat ressemblait à un village ravagé par les bombes.

Sugar disparut dans la grotte. Milo lui emboîta le pas, vaguement inquiet, en allumant le flash du téléphone.

Des inscriptions salaces au feutre noir ou au charbon, suivies de numéros de portable, tapissaient les parois. Il éclaira le sol jonché de détritus. Paquets de chips, papiers de bonbons, prospectus publicitaires. Dans la lumière artificielle bleutée, tout semblait irréel. Comme tiré d'un cauchemar ou d'un film d'horreur.

Sugar aboya. Une poigne invisible agrippa la gorge du garçon, qui s'immobilisa. Le chien jappa encore.

– Tais-toi, dit une voix caverneuse avant de se transformer en quinte de toux.

Au bord des larmes, rongé par la trouille, Milo orienta le faisceau vers le fond de la grotte. Assis, langue pendante, Sugar fouettait la poussière avec sa queue.

– C'est les flics ?

Allongé sur un sac de couchage militaire tout mité, le bras en bouclier, un homme barbu se cachait de la lumière. Le cœur de Milo menaça de lui perforer les côtes.

– Jean ?

L'homme s'adossa à la paroi, ramena ses cuisses contre son ventre. Son sourire troué par les dents manquantes n'avait rien de familier. Pas plus que ses cheveux réunis en pelotes crasseuses, ou sa barbe brune à peine clairsemée de poils blancs.

– Pas que je sache, dit l'homme.

Des pieds gonflés, aux ongles noirs. Un réchaud à gaz de camping, une boite de cassoulet *Top budget* ouverte, six cierges consumés, des livres de poche aux coins cornés.

– Pardon… Je… Vous vivez là ?

– Vivre c'est un bien grand mot, disons que je m'abrite un peu du monde… Tu cherches quelqu'un ?

L'homme se redressa sur ses jambes courbes, se massa un genou, puis passa la main sur ses reins.

– Pas vraiment…

Sugar dévisageait son maître, satisfait de l'avoir mené jusqu'ici. Milo lui caressa l'échine.

– Enfin si… Un disparu, depuis l'an dernier.

– On est tous un peu *disparu*.

– Mon grand-père, soixante-dix ans, cheveux blancs très courts… Costaud. Des yeux bleus et des appareils auditifs. Ancien boxer Son surnom c'était *Giant Joe.*

– Jamais entendu parler… Et ça fait des années que je traîne dans le coin. C'est un petit milieu, tu sais, on se connaît tous.

L'homme éclata de rire et l'écho le fit sursauter.

– Pardon. J'ai pas l'habitude.

Son odeur écœurante rappelait celle des clochards du métro parisien. Milo l'accompagna jusqu'au parvis.

La profusion de lumière donnait la nausée. La Vouvre turquoise s'étendait à perte de vue, à travers la rocaille et la végétation assoiffée.

– Y'en a qui paieraient pour avoir un tel paysage en ouvrant leur fenêtre, il dit en s'étirant. Pas vrai ?

L'ermite se boucha une narine avec le pouce, souffla pour expulser un paquet de morve.

– On va vous laisser, dit Milo en passant les doigts dans le collier du chien.

– Bonne chance pour tes recherches.

– Merci.

– Dans une autre caverne, peut-être. On a chacun la nôtre...

*

Les cailloux blancs de la cour les aveuglèrent. La pelouse trop sèche laissait voir la terre craquelée. Les pieds de tomate piquaient du nez. Mamette fila aux toilettes. Sugar s'abreuva dans la coupelle d'un pot de fleur.

Le téléphone de Milo vibrait dans la poche de son bermuda, il décrocha à contrecœur.

– Quoi ?

– J'ai bien le droit de t'appeler quand même !

– Mais oui… Qu'est-ce que tu voulais ?

– Rien, juste prendre des nouvelles de mon fils.

L'adolescent laissa volontiers sa mère refouler le Silence qui tentait de passer en force.

– Alors, comment ça va ? Tu fais quoi aujourd'hui ?

– Pas grand-chose, on s'est baladés près de la rivière.

– Vous êtes allés jusqu'à la Brèche des damnés *?*

– Non, il faisait trop chaud, Mamette a préféré rentrer.

– Tu la fais boire, hein ? Et vous restez au frais.

– Au fait, je crois que j'ai trouvé le deuxième prénom pour mon demi-frère.

– Pour ton frère.

– Pour mon frère.

– Vas-y, je t'écoute Qu'est-ce que tu nous as encore inventé ?

Milo annonça sa trouvaille avec une certaine fierté. À l'autre bout du fil, il entendit la circulation parisienne. Un scooter, puis une ambulance sirène hurlante.

– T'en as parlé à ta grand-mère ?

*

Pour le repas du soir, l'adolescent cassa des œufs dans une casserole de ratatouille maison.

– J'ai de la chance de t'avoir, dit Mamette. Tu m'aides bien, t'es un bon garçon... Ton grand-père, il a jamais tenu un balai de sa vie. J'espère que ta génération sera plus...

Mamette s'étrangla, et dut se servir un verre d'eau.

– Je suis l'homme idéal.

– Tu seras l'homme idéal, comme tu dis, quand tu feras pipi assis... J'en ai marre de nettoyer les gouttes autour des toilettes.

Après le dîner, ils regardèrent un reportage sur les pompiers qui œuvraient jour et nuit dans la région pour sauver ce qui pouvait encore l'être.

– Il est bel homme, celui-là, dit Mamette.

Les familles évacuées dans l'urgence étaient rapatriées dans un gymnase, leurs animaux domestiques sacrifiés au brasier. Milo invoqua la fatigue pour monter se coucher.

À l'étage, la température dépassait les trente degrés. Le ventilateur brassait l'air chaud. La tablette de chocolat, montée en cachette, avait fondu dans son papier alu. De la commode, Milo sortit la caisse à monnaie cachée dans le pli d'une couverture. Il posa la main sur le métal tiède comme pour y sentir battre un cœur. Avec une épingle à cheveux, dont il avait retiré la cire à l'extrémité, il tritura la serrure. La forcer d'un coup de tournevis aurait été plus efficace, mais il préférait ne laisser aucune trace.

L'écran de son téléphone afficha une notification.

@JusT_In. En direct de la soirée chez Louise :

S'en suivait la vidéo d'un concert cacophonique qui saturait les micros.

Tu ne rates pas grand-chose…

Smiley mort de rire.

On risque d'aller se baigner dans la nuit, tu viens ?

SEPT

Milo descendit l'escalier sans faire craquer les marches. Tout un art. Une fois en bas, il savoura la fraîcheur du carrelage sous ses plantes nues.

Dans l'armoire vitrée de la salle de bains, Mamette conservait intact le nécessaire de rasage de son mari. Pour ne pas salir le blaireau, Milo appliqua un peu de mousse à raser avec son doigt sur le duvet qui couvrait sa lèvre supérieure, et y passa la lame du *Bic* orange. Il se rinça au robinet, avant de contempler le résultat dans le miroir.

Au salon, il souleva le plateau de la table basse, et remplit sa gourde. Cognac, rhum Negrita, Pastis 51, Martini, Lillet blanc. Un trait de liqueur d'orange pour l'amertume. Avec cette méthode, le niveau des bouteilles ne baissait que d'un ou deux centimètres, ce qui rendait la manœuvre indétectable.

Dehors, le mince quartier de lune n'apportait que peu de clarté. Milo secoua le mélange et fourra la gourde dans son Eastpak avec sa serviette et son short de bain, récupérés sur le fil à linge.

Quand le portail du garage grinça sur son rail, il serra les dents comme si cela pouvait atténuer le frottement.

Depuis sa dernière sortie, le vélo demeurait inutilisable. Sans hésiter, Milo replia la béquille et poussa la Honda CG. De la fenêtre de la salle de bains du premier, on aurait pu le voir faire le mur. De la chambre de Mamette, située à l'arrière, côté poulailler, c'était impossible.

Le garage refermé, Milo marcha à côté de la 125 jusqu'au premier carrefour. Assis sur le siège rapiécé, il dévala la pente en roue libre, puis démarra au kick à bonne distance des habitations.

La conduite d'une moto n'est pas une mince affaire quand on ne l'a pratiquée qu'en rêve. Milo flippait à chaque changement de rapport, sans dépasser la troisième. Même à cette vitesse, rouler sans casque, de nuit, clandestinement, avec un *cercueil* dans le sac, procurait un sentiment de liberté inégalable. Milo accéléra. Le vent plaqua ses cheveux en arrière. Son sourire s'élargit.

Dans le sentier forestier, près du stade, il cacha la Honda. Les traces de la soirée précédente avaient été effacées, et un écriteau précisait *Feux de plein air interdits, par arrêté municipal.*

En attendant Justine, il goûta son cocktail improvisé. Un vertige le surprit après deux lampées. Pour l'effet, c'était réussi. Pour le goût, rien de moins sûr. Pire que du sirop antibiotique, et encore plus abrasif pour le tube digestif.

Les vocaux de *JusT_In* arrivaient par vague, à cause du réseau capricieux.

– *Désolée, ils ont changé d'avis, Shen s'est mis à la gratte et il déchire. Tout le monde veut rester. Et puis, y'a Mona, celle qu'a passé les auditions de* The Voice, *qui a pris le micro…*

Sans réfléchir, Milo lança sa jambe droite en arrière pour frapper dans une branche morte, quand le message suivant s'enchaîna en haut-parleur.

– *Du coup, je viens à pied... Je serai en retard.*

Sa jambe revint en place, et se mit à trembler nerveusement.

– *Je suis toute seule, y'a pas les autres... J'espère que ça te dérange pas.*

De peur que sa voix ne traduise ses émotions, Milo répondit par écrit.

Pas de soucis.

Quand Justine arriva, il avait repris du mélange, pour apaiser ses nerfs et se donner du courage.

– Tu as quelque chose de changé, elle dit. Mais je saurais pas dire c'est quoi.

Inconsciemment, Milo passa la main sur sa moustache fraîchement rasée.

– J'ai fait un *cercueil*, t'en veux ?

Justine s'envoya une rasade, s'essuya avec la paume. Son maquillage, un mouchetis de grains de beauté factices sur les pommettes, fascinait le garçon.

– C'était bien la soirée ?

– Mouais… Pas trop dans l'ambiance. J'ai essayé de picoler, mais c'était pas une bonne idée.

Milo se retint de demander plus de détails.

– On y go ?

Les deux ados jetèrent les sacs dans l'herbe, et rejoignirent le petit bassin au pas de course. Ils y entrèrent aussi facilement que dans un bain chaud. Justine disparut sous la surface, pour rejaillir derrière le dos de Milo. Elle s'appuya sur ses épaules pour le couler. Il se retourna, attrapa ses poignets, et l'entraîna sous la surface.

D'ordinaire, Milo n'appréciait guère les jeux qui singeaient la violence. Mais la proximité du corps de sa camarade lui faisait voir les choses sous un autre angle. Ces tentatives de noyade n'étaient que le prétexte à des étreintes plus pacifiques.

Ils s'éclaboussèrent comme des gosses, firent la course pour se tirer le maillot. Justine nageait bien plus vite que Milo. Elle participait aux entraînements de natation tous les matins, et aux compétitions du club. Difficile de rivaliser. Milo avait appris avec son grand-père. À plat ventre sur une chaise, puis parmi les gardons, dans la rivière.

Au moment où Justine envoyait le caleçon de Milo dans la *grande,* des phares jaunes balayèrent l'obscurité.

– V'la Tarzan, elle dit. On s'arrache !

Le faux short Quiksilver flottait au milieu du bassin de vingt-cinq mètres. Milo aurait aimé en rire, mais l'humiliation réduisait à néant son autodérision.

Ils rampèrent jusqu'à leurs affaires, longèrent le mur de la salle des fêtes, escaladèrent la grille qui séparait le complexe nautique du stade.

Milo jeta son sac. La gourde émit un bong sonore en atterrissant. Justine se suspendit à la terrasse et se laissa tomber au niveau inférieur.

– Regarde pas, dit Milo.

Elle détourna les yeux, alors qu'il sautait sur le béton, ses attributs virils à l'air.

Dans les vestiaires, les portes étaient sciées à une trentaine de centimètres du sol. Ils se faufilèrent dans la cabine numéro sept, et attendirent, serrés sur le banc, en étouffant leurs rires.

La lumière d'une lampe torche leur coupa le souffle. L'employé communal ouvrit la grille, descendit les marches en direction du terrain de foot. Le bruit de ses claquettes résonnait dans tout le bâtiment. Il secoua le rideau de fer de la buvette, puis s'avança dans le couloir qui menait aux vestiaires.

– Sortez, il gueula. Je sais que vous êtes là.

Justine posa un doigt sur la bouche du garçon. La lampe projetait des ombres mouvantes sur les murs.

Quand Tarzan éclaira le sol de la cabine, les visages des adolescents apparurent, ombragés par leurs propres traits.

Milo avait beau tenir ses affaires contre son ventre, sa nudité l'encombrait plus que ces grosses peluches qu'on gagne aux fêtes foraines. Quand les claquettes s'éloignèrent, son pouls redescendit.

– On a eu chaud sa mère.

De son sac, il sortit la gourde et dévissa le bouchon. L'odeur du pastis envahit la cabine.

– Tu veux tiser ?

Ils burent chacun leur tour, jusqu'à tarir la source. De peur d'être attendus dehors, ils s'installèrent pour tenir un siège. À même le sol, couvert d'un caillebotis plein de mottes de terre qu'ils firent glisser sous le banc. Adossés contre le mur, puis couchés dans les bras l'un de l'autre sur le ciment glacé.

Difficile de savoir comment cela se produisit, mais leurs gestes s'imposèrent d'eux-mêmes. Les corps nus se rapprochèrent, et leurs lèvres s'accolèrent en toute logique.

Milo se demandait depuis longtemps comment créer les conditions, prendre les bonnes initiatives. S'il fallait tourner sa langue dans la bouche de la fille, si oui dans quel sens et à quelle vitesse. En fait, il suffisait de se laisser aller, sans calculer, ni provoquer les situations. Les choses finissent par arriver, alors l'instinct prend les commandes.

La langue de Justine allait et venait dans la bouche de Milo. Le garçon n'avait jamais rien vécu de comparable. C'était meilleur que ce que la vie offrait d'ordinaire. D'abord honteux de son corps étranger, il s'efforça de l'accepter. D'assumer d'être presqu'un homme. Justine se détendit, se laissa dériver dans ce rêve éveillé qui les entraînait loin. Elle guida cette main étrangère sur son ventre, sous le tissu humide de son haut de maillot de bain.

Quand Milo réalisa la présence du sein sous ses doigts, des éclairs blancs l'aveuglèrent. Il inspira par saccades, en proie à un début de crise de panique.

Il leur fallut des heures pour apprivoiser ce troisième corps que formaient ensemble les deux leurs. Quand ils réalisèrent qu'il y avait urgence à revenir à la réalité, le ciel brûlait sous les feux de l'aurore. Ils enfourchèrent la 125, qui démarra en trombe. Les mains de Justine cramponnées aux hanches du pilote, ils firent la course avec le jour.

HUIT

Les pleurs de Mamette tirèrent Milo du lit une heure après qu'il fut endormi. La bouche encore brûlante d'alcool et de baisers.

– Milo, elle criait. C'est horrible…

Sur la terrasse irradiée de soleil, la grand-mère sanglotait comme une petite fille.

– Chougare, elle répétait. Chougare…

Couché sur le flanc, les pattes tendues, le chien ne bougeait pas. Sa langue gonflée débordait de sa gueule. Sa queue ne battait plus la mesure. Son regard terne n'inspirait qu'une tristesse infinie.

– Il… Il est mort ?

Mamette hocha la tête, sans cesser de le caresser.

– C'est la chaleur ?

– J'en sais rien, elle dit. Il était vieux, tu sais… J'avais plus que lui.

Milo s'agenouilla près de sa grand-mère.

– Tu m'as moi, il dit.

– Les onze autres mois de l'année, je l'avais lui.

Mamette prit son petit-fils dans ses bras, mais ce contact le dégoûta et l'effraya. Le corps de la vieille femme suintait la mort.

– Je vais m'allonger, elle dit en reniflant.

Pendant son absence, Milo photographia Sugar sous toutes les coutures pour le garder vivant dans sa mémoire.

*

Quand Milo eut creusé assez profond, il empoigna les anses du sac de sport qui contenait la dépouille pour le déposer dans la tombe. Les crucifix bricolés de l'oiseau et du chien encadraient désormais celui de Jean. Un véritable cimetière s'étendait au fond du jardin.

– Repose-toi bien, dit Mamette. Tu as été un bon ami. Le meilleur qu'on puisse espérer.

Elle épongea une larme sur sa joue si blanche qu'on voyait serpenter les veines au travers.

– Je m'en remettrai jamais…

Les jours suivants furent pénibles et lents. La chaleur incitait à rester confiné à la maison. Mamette perdait le goût de vivre. La nuit, le vent portait les fumées d'incendie jusqu'aux fenêtres ouvertes. La sensation d'asphyxie tirait Milo du lit. Il prenait une douche froide pour se laver de l'odeur de feu de cheminée qui imprégnait ses cheveux, puis se rendormait avec difficulté, les sens en alerte, le cerveau en surchauffe.

Un arrêté ordonnait la fermeture des piscines municipales. Les pompiers réquisitionnaient l'eau sous toutes ses formes. Quoi qu'il en soit, Milo ne tenait pas à retrouver son short épinglé sur le panneau d'affichage sous verre, avec la mention *le baigneur nocturne qui a laissé une trace de son passage est prié de se manifester à l'accueil.*

Justine passa un soir. Les deux ados scrollèrent côte à côte, sur le canapé du salon, en partageant de temps à autre leurs découvertes. Milo stalka les comptes de ses futurs camarades de lycée, puis ceux des gens du coin. Shen publiait en *story* des Tiktok sexy de filles à gros derrière.

– Il est à moitié obsédé ton copain noich, il blagua.

– C'est pour avoir un max d'abonnés…

Ils regardèrent *Erin Brockovich,* un DVD emprunté à la médiathèque, en conservant une distance de sécurité. Alors que le générique de fin défilait, Milo tenta d'embrasser Justine. Elle le repoussa sans explication, avant de s'évaporer dans la nuit chaude.

*

De corvée de courses, Milo marchait le long de la départementale en direction du bourg, un sac isotherme ridicule sous le bras.

La boulangère lui fit la causette, en encaissant les Farinette (une pour les repas du jour, l'autre pour le congélo). À la boucherie, il patienta dans la file d'attente, devant l'étal vitré. L'accumulation de viande froide l'écœurait.

– Deux steaks hachés, dit-il, deux tranches de jambon blanc, quatre chipolatas aux herbes, et cent grammes de grillon.

Le boucher fourra un morceau de viande rouge dans le hachoir, lui fit contrôler l'épaisseur des tranches de jambon.

– Ça c'est du pur bonheur au barbecue, il dit en raccourcissant un chapelet de saucisses.

Le boucher coupa le grillon, qu'il posa sur un papier blanc pour le peser.

– Cent-quatre-vingt. J'en enlève un peu ou ça ira ?

C'était près du double de ce que Milo avait demandé, mais il n'osa pas le faire remarquer.

– Parfait.

– Ce sera tout ?

– Euh… Oui.

Milo régla avec le porte-monnaie de Mamette.

– Est-ce que par hasard monsieur Thomasi serait disponible ? il demanda sans reprendre sa respiration.

L'employé servit deux clientes, avant d'accompagner Milo dans l'arrière-boutique. Les plans de travail en inox renvoyaient la lumière crue des néons. Du sang ruisselait dans les joints du carrelage.

– Y'a un problème avec la viande ? demanda le vieux en s'essuyant les paumes sur son tablier.

Derrière les portes des chambres froides, l'adolescent imaginait son ancêtre découpé en quartiers, suspendu à des crochets.

– Non.

– Qu'est-ce qui t'amène alors ? T'es le petit-fils à Jean Loustalet c'est ça ?

Milo acquiesça.

– J'aurais voulu vous poser des questions.

– À quel sujet ?

– Concernant mon grand-père.

– Ah.

– Ça vous dérange pas ?

– Dis toujours.

– Il parait que... Vous étiez pas les meilleurs amis du monde.

– C'est le moins qu'on puisse dire, fit Thomasi en empoignant sa ceinture pour remonter son pantalon.

– Y'en a même qui racontent que vous auriez...

– Conneries, il coupa.

L'odeur de la mort empuantissait l'atmosphère. Le contenu des intestins du garçon se liquéfiait en émettant d'interminables bruits de canalisation.

– Ça se fait pas de lorgner l'entrecôte dans l'assiette du voisin, si tu vois ce que je veux dire...

Milo n'était pas sûr de comprendre l'allusion, aussi il figea les traits de son visage dans une expression de joueur de poker.

– Mais on tue pas les gens pour ça, on s'explique entre hommes. Point barre. Et c'est ce qu'on a fait avec ton grand-père. On a eu des mots, et chacun est rentré chez soi.

Avec ses doigts calleux, il releva le menton de l'adolescent.

– Contrairement à certains, moi j'ai jamais flingué personne. Que des bêtes, et c'est bien suffisant crois-moi.

– Ok, fit Milo. Je voulais pas...

– Pour autant, je crois pas au suicide... Si tu veux mon avis, il est à Tataouine en train de se dorer la pilule avec une jolie fatma...

Le boucher passa la main dans les cheveux de Milo, puis lui tapa vigoureusement sur l'épaule.

– En tout cas, c'est sans doute mieux de pas savoir.

– Peut-être.

Alors que l'adolescent s'apprêtait à quitter la boutique, le vieux l'invectiva.

– Et tu me feras le plaisir de manger plus de barbaque mon bonhomme, t'as pas l'air en bonne santé.

*

En rangeant le porte-monnaie dans le sac à main de sa grand-mère, Milo tomba en arrêt devant le trousseau de clefs. Parmi celles de la maison, du portail, du garage, et de la Fiat Panda, une petite clef de cadenas l'intrigua suffisamment pour qu'il la détache de l'anneau.

Il fila dans sa chambre à la vitesse d'un chat parisien en mal d'exercice.

Ses mains tremblaient alors que la tige dentelée glissait dans la serrure. Comme une évidence, la clef ouvrait la caisse à monnaie descendue du grenier. Il souleva le couvercle de la malle au trésor.

À l'intérieur, pas de roman posthume de son grand-père. Mais les récépissés de huit dépôts de plainte, soigneusement pliés. Le plus ancien datait de 1993.

Aux déclarations, à peine lisibles, s'ajoutaient des photographies argentiques prises dans le miroir. Côtes tuméfiées, hématomes jaunes ou violets sur les cuisses, le dos, les seins. Lèvre ouverte sur une denture ensanglantée. Pommette gonflée. Croûtes. Gorge rouge, comme lacérée. Touffes de cheveux dans un lavabo. Beaucoup de photos, collées entre elles par le verni brillant, jaunies par les années. Blafardes, glauques, crues, traumatisantes. Sur lesquelles on devinait Mamette plus jeune, par échantillon. Bribes de visage, bribes de peau. Mamette en mille morceaux.

NEUF

L'air du dehors, plus chaud que son sang, colonisait les poumons de Milo. Les poules ne pondaient plus. Mamette reprenait ses activités, à l'ombre d'une forêt des environs, avec ses copines du club de marche. Justine faisait du shopping avec sa mère dans une galerie marchande climatisée.

À l'abri du pommier, Milo arrosait le jardin en broyant du noir. Les arcs-en-ciel que les rayons de soleil dessinaient dans le jet d'eau n'égayaient pas son humeur. Sa découverte le laissait absent à lui-même. Spectateur de sa peine et de son désarroi. Les questions s'ajoutaient aux questions, et il refusait d'y trouver des réponses toutes faites. Milo se sentait seul. Prisonnier du Silence.

Le tuyau de caoutchouc se contracta, sous l'effet d'une bulle d'air ou d'un bouchon de saletés.

L'adolescent sursauta, tiré de sa rêverie macabre. Comme si un aliment lui obstruait la trachée, le tuyau s'étouffa encore, avant d'expulser une giclée marronnasse malodorante.

La pompe s'emballait depuis le toit de la citerne. Un nouvel à-coup raidit le tuyau. Milo courut jusqu'au garage, décrocha l'échelle suspendue au plafond et la posa contre le cube de ciment. Il grimpa la douzaine de barreaux sans regarder en bas.

Depuis le *roof top,* la vue s'ouvrait sur la campagne. Le soleil pesait des tonnes. De la sueur dans les yeux, Milo suivit le tracé des dalles de zinc qui se rejoignaient en une gouttière unique pour disparaître dans la cuve. Il éteignit la pompe, qui sentait le chaud, et s'agenouilla devant la trappe en ciment dont l'usure dévoilait les ferrailles rouillées. Quand il la fit pivoter sur le côté, un nuage fétide lui passa sous le nez, suivi d'une nuée de moucherons.

– Ohhhhh, il cria par l'ouverture pour le plaisir de dialoguer avec l'écho.

Milo éclaira l'intérieur avec son téléphone. Une boue verdâtre tapissait le fond. La sécheresse avait épuisé la réserve. Le méthane prenait à la gorge, les vapeurs piquaient la cornée. Il se détourna pour reprendre une goulée d'air sain.

En promenant la torche à l'intérieur du cube, un reflet blanc capta son attention. Un rectangle de verre renvoyait la lumière. Une sorte de tablette tactile, à demi immergée dans la vase.

Non sans difficulté, Milo tira l'échelle pour la passer dans l'ouverture. Il abandonna ses tongs et descendit dans le réservoir.

L'atmosphère moite et pesante perturbait les sens. Manque de luminosité. Silence assourdissant. Puanteur d'égout. Il pénétrait dans un tombeau. Ce qui l'intriguait, vu du dessus, n'était qu'un projecteur sur pied, renversé au sol. Le genre d'éclairage utilisé pour les travaux de peinture.

Ses orteils s'enfonçaient dans une mélasse pleine de coquilles d'escargots vides. Un frisson lui raidit la colonne vertébrale à la vue des bestioles qui grouillaient dans la vase.

Il souleva un pied, le reposa dans un bruit spongieux. L'ombre des barreaux de l'échelle dansait sur le mur. Une lame lui entailla le pied. Sans savoir s'il saignait, si des parasites affamés se ruaient pour infecter la plaie, il ramassa l'objet tranchant et le plaça devant le faisceau de sa lampe. Une truelle de maçon rouillée, avec un manche en bois. De quoi choper le tétanos.

Milo s'apprêtait à faire demi-tour, quand il réalisa que les parois étaient couvertes d'inscriptions minuscules gravées dans le ciment.

*

Ses mains tremblaient en capturant les images de sa découverte. L'écran tactile manquait de sensibilité, à cause de l'humidité. Après une série de plans larges, il photographia la fresque de près comme autant de pièces d'un puzzle à reconstituer patiemment dans sa chambre. L'angle des prises de vue déformait les lettres grossièrement tracées. Les *D* étaient difficilement dissociables des

O, les *U* des *V*. Le texte, rédigé en majuscules avec des bâtons semblables à des caractères chinois, s'étendait en panoramique sur les quatre murs. Les lignes avaient tendance à pencher vers le bas. Elles tournaient en spirale autour de lui, jusqu'à sombrer dans le néant.

Çà et là, des mots sortis de leur contexte lui sautaient à la gorge pareils à des vampires restés enfermés trop longtemps dans leur cercueil. *GUERRE*. Ses piétinements dans la gadoue libéraient des poches de gaz nauséabond. *VIOLENCE*. Son corps s'acclimatait mal à la fraîcheur de catacombe qui régnait dans le cube. *MORT*. Difficile de dater ces inscriptions, ni d'en cerner le sens au premier abord sans un travail patient de retranscription, mais cela n'augurait rien de bon.

Milo éclaira sa cheville. Une limace noire lui tétait la peau juste en-dessous de la malléole. Il échappa un cri, qui résonna dans la citerne vide, secoua la jambe, mais la sangsue restait accrochée. Son estomac se retourna. Il vomit les courgettes de midi, puis de la bile acide en longs filets gluants.

Avec la truelle rouillée, il parvint à la décrocher, avant de sautiller dans le marécage comme si une guêpe volait sous son tee-shirt. Alors qu'il s'apprêtait à remonter l'échelle, il s'attarda sur ce qui ressemblait à un vieux ballon de foot dégonflé. Entre le blanc passé et le jaune sale, vaguement cabossé. Il ramassa la chose. Sa dureté de pierre et sa légèreté le surprirent.

Un crâne humain le dévisageait de ses orbites creuses, d'où suintait un liquide brunâtre.

*

Ventilateur sur puissance 3, volets en tuiles, Milo se recroquevilla dans son lit. En PLS. Le drap moite enroulé autour du genou, pour éviter le contact désagréable entre ses articulations.

– Je peux entrer ? demanda Mamette en frappant à la porte ouverte.

– Hmmm.

– Ça sent le fauve ici…

Elle approcha au ralenti, s'assit au bord du lit, passa la main sur le front de son petit-fils.

– Tu as de la fièvre ?

– Non, je crois pas…

– Tu veux que j'appelle le docteur Neau ?

Milo sourit en se rappelant que le toubib du coin portait le même nom que le méchant dans cet épisode de James Bond qu'il avait regardé chez son père.

– Ça va aller, c'est juste un peu de fatigue.

– Je vais te préparer une infusion de thym avec du jus de citron.

À croire Mamette, c'était le remède miracle à tous les maux du quotidien. Angine, rhume, allergies, coup de fatigue. Quand l'épidémie de Covid 19 s'était déclarée, elle avait refusé de se faire vacciner, prétextant que le thym citronné l'immunisait.

*

Vers minuit, Milo se sentit requinqué. Il ouvrit la fenêtre, observa la campagne endormie dans le clair de lune. Le sous-bois, l'arbre mort à l'écorce argentée qui jurait parmi la végétation. Les rangs de vignes alignés comme une armée de soldats. Le pylône électrique et la toile d'araignée des câbles qui se croisaient au sommet. La maison de Justine, la plus proche voisine, de l'autre côté du patchwork vert et brun des parcelles.

Encouragé par son statut *en ligne*, Milo l'appela via WhatsApp, pour lui souhaiter bonne nuit. Elle lui envoya les photos des habits achetés le jour-même, ainsi qu'une flopée de selfies. Ils ne raccrochèrent pas, pour dormir avec la présence de l'autre. Dans le haut-parleur de son téléphone, il entendit sa respiration s'alourdir, avant de la deviner assoupie.

L'écran en paysage, l'appareil appuyé contre une gomme, Milo coucha les mots sur le papier. Absorbé par le déchiffrage, il ne comprenait rien de ce qu'il écrivait. La mine du crayon grattait le papier avec la douceur d'une caresse, pour ne pas réveiller Justine. En piquant du nez plusieurs fois, il noircit deux doubles pages de son écriture appliquée. Ce n'est qu'à la relecture finale, vers neuf heures du matin, que les mots prirent leur sens tragique.

DIX

JE SUIS UN HOMME D'AVANT C'EST COMME ÇA QU'ILS DISENT UN HOMME D'AVANT QUI CAUSE AVEC LES POINGS [illisible] *PERSONNE M'A JAMAIS APPRIS COMMENT FAIRE AVEC CE QU'ON A DANS LE CŒUR J'AI JAMAIS SU DOMPTER LA RAGE CELLE QUI BOUILLONNE À L'INTÉRIEUR QUI FAIT COMME UN ORAGE QUI DOIT PÉTER MÊME QUAND ON AIME MÊME QUAND ON VEUT PAS QUE ÇA ÉCLATE MÊME QUAND ON REGRETTE PARCE QU'À UN MOMENT LA RAGE EST TELLE QU'ON SAIT PAS ENCORE QU'ON REGRETTERA LA COLÈRE EMPORTE TOUT LA GUERRE C'EST PLUS FORT QUE L'AMOUR TOUJOURS QUOI QU'ON EN PENSE* [illisible] *ÉCLATANTE*

VÉRITÉ J'AI PRIS MES FILLES SUR MES GENOUX J'AI SERRÉ MA FEMME DANS MES BRAS POSÉ MES LÈVRES SUR LES SIENNES ET POSSÉDÉ SON CORPS J'AI VEILLÉ MA MÈRE SUR SON LIT DE MORT J'AI PÊCHÉ DES GARDONS DANS LA RIVIERE AVEC MON PETIT-FILS NOUS AVONS ÉTÉ HEUREUX TOUS AUTANT QUE NOUS SOMMES MÊME SI ÇA N'EXCUSE RIEN J'AI APPRIS À CONSTRUIRE DES MURS ET DES MEUBLES J'AI APPRIS À RÉPARER DES MOTEURS À TRAVERSER DES COURS D'EAU À FAIRE DU FEU À JOUER AU POKER J'AI PRIS DES RISQUES COMBATTU SUR LES RINGS DANS LA LUMIÈRE GAGNÉ CENT FOIS ET PERDU DIX J'AI APPRIS LA VIOLENCE ET LA GUERRE J'AI APPRIS À DONNER LA MORT À SECOURIR UN CAMARADE BLESSÉ J'AI APPRIS LA LOYAUTÉ LA FORCE ET LA RUSE JAMAIS LA BEAUTÉ J'AI VU LE PIRE DES HOMMES QUI TORTURENT QUI VIOLENT QUI HUMILIENT QUI TUENT PAR JEU PAR PLAISIR OU NÉCESSITÉ J'AI CONNU LA DOULEUR LE KO DÈS LE PRE-

MIER ROUND LA PEUR DE CREVER QUI DÉGOULINE ENTRE LES OMOPLATES [illisible] *LA PEUR DANS CHAQUE FEUILLE DANS CHAQUE PIERRE DANS CHAQUE GRAIN DE SABLE ET DANS CHAQUE GOUTTE D'EAU LA PEUR DES BOMBES QUI PLEUVENT DU CIEL LA PEUR DES MINES QUI POUSSENT DU SOL LA PEUR DES RAFALES QUI SOUFFLENT DE TOUS LES CÔTÉS ET VOUS FAUCHENT EN PLEINE COURSE LE GOÛT DU SANG D'UN AUTRE DANS MA BOUCHE CE QUE MASSACRE SIGNIFIE NUL N'EST CAPABLE D'EN PARLER AVEC DES MOTS LES MOTS NE PEUVENT PAS TOUT* [illisible] *LE BRUIT INFINI DES COMBATS DANS MES OREILLES UN BRUIT À RENDRE FOU QUE MÊME LES APPAREILS NE GUÉRISSENT PAS* [illisible] *LA CLOCHE QUI RETENTIT LES CRIS DE TERREUR PLEIN LA TÊTE QUI DÉNUDENT LES NERFS COMME DES CÂBLES ÉLECTRIQUES TOUTE CETTE PEUR ENFERMÉE QUI NE PEUT PAS SORTIR CETTE MACHINE INFERNALE QUI TOURNE EN*

CONTINU COMME LES PRESSES D'UNE IMPRIMERIE DES PAGES ET DES PAGES NOIRCIES D'ENCRE ET TOUJOURS LE MOT PEUR EN NOIR SUR BLANC J'AI APPRIS À ME BATTRE MAIS PAS CONTRE MOI-MÊME LES COUPS C'EST COMME LES MENSONGES QUAND ON A COMMENCÉ ON PEUT PLUS REVENIR EN ARRIÈRE ON A BEAU S'EXCUSER DIRE QUE ÇA VA CHANGER DEMANDER PARDON VENTRE À TERRE ÇA CHANGE PAS ET ÇA PEUT PAS CHANGER COMME ÇA SANS APPRENDRE À PLUS ÊTRE CE GENRE D'HOMME [illisible] *ET J'AI BEAU FAIRE SEMBLANT ME CONVAINCRE* [illisible] *AU BOUT D'UN MOMENT JE REGRETTE TOUJOURS QUI JE SUIS LES MOTEURS SE RÉPARENT PLUS FACILEMENT QUE LES GENS C'EST AINSI J'AURAIS JUSTE VOULU DIRE AU-REVOIR AU CHIEN CARESSER SON VIEUX CRÂNE ME REGARDER DANS SES YEUX LARMOYANTS À MON ÂGE IL N'Y A PLUS GRAND CHOSE À ATTENDRE DE LA VIE LE PETIT EST PARTI À PARIS POUR*

LES 11 MOIS D'HIVER J'AI EU DEUX FILLES POURTANT MAIS ELLES N'ÉTAIENT PAS DÉCIDÉES À AVOIR D'AUTRES ENFANTS C'EST TROP TARD MAINTENANT IL RESTE LE JARDIN PLUS VASTE D'ANNÉE EN ANNÉE LES SOUVENIRS DE GLOIRE ET DE FESSES LES ARTICULATIONS QUI ROUILLENT LE DOS QUI BRÛLE LES BRUITS QUI RONGENT LE CERVEAU LES JOURS QUI FILENT QU'ON REGARDE PASSER COMME UN TRAIN SANS RIEN RESSENTIR [illisible] *AVEC LE TEMPS LE COUPLE C'EST DE LA SOLITUDE QUI GIGOTE DE L'INDIFFÉRENCE QUI RASSURE DU SILENCE QUI FAIT DU BRUIT EN MANGEANT* [illisible] *PLUS DE 40 ANS QUE J'AI PAS PLEURÉ ET VOILÀ QUE ÇA SORT MAINTENANT JE POURRAIS REMPLIR LA CITERNE AVEC MES LARMES FUT UN TEMPS CERTAINES CHOSES ÉTAIENT MOINS GRAVES PRESQUE ADMISES LES FEMMES AVAIENT LES ÉMOTIONS LA CUISINE ET LES ENFANTS LES HOMMES AVAIENT LES ARMES LES MOTEURS ET*

LES MAINS QUI DÉMANGENT ON NE SAVAIT PAS FAIRE AUTREMENT D'AILLEURS ON N'AURAIT PAS EU L'IDÉE À L'ÉPOQUE ET PERSONNE Y TROUVAIT À REDIRE OU ALORS ON ÉTAIT TROP SOURD [illisible] *ÉCRIRE SUR LES MURS C'EST COMME PARLER SOUS LA TORTURE* [illisible] *SERAIS RESTÉ À ME GANGRÉNER DE L'INTÉRIEUR JE N'AI AUCUN COMPTE À RÉGLER SI CE N'EST LE MIEN MON ÉPOUSE SAURA QUOI FAIRE DE CE QUI LUI REVIENT* [illisible] *MA VOLONTÉ* [illisible] *ABSENCE APPORTE LA QUIÉTUDE EMPÊCHÉE QU'ELLE NE SOIT PAS PIRE QUE LA VIE À MES CÔTÉS QU'ON INVENTE LA LÉGENDE DE MA DISPARITION QU'ON SOIGNE MA MÉMOIRE QUI NE LE MÉRITE GUÈRE QU'ON SE SOUVIENNE DE QUI JE N'ÉTAIS PAS AU PRINTEMPS PROCHAIN MON CORPS NOURRIRA LA TERRE DU JARDIN* [illisible] *LE PATERNEL* [illisible] *ENCORE BRÛLÉ LE DOS DE MA MAIN AVEC SA GITANE SANS FILTRE* [illisible] *DANS LES JUPES DE MA MÈRE*

ÇA SENT L'ODEUR [illisible] *LESSIVE ELLE EMBRASSE MA MAIN QUI CONTINUE DE SE CONSUMER À PETIT FEU* [illisible] *S'ESTOMPE* [illisible] *ME REVOIS EMBRASSANT SA MAIN À MON TOUR DES ANNÉES PLUS TARD ALORS QU'ELLE MEURT DANS UNE CHAMBRE D'HÔPITAL ET LES DEUX SOUVENIRS SE CONFONDENT AVEC L'INSTANT PRÉSENT L'INSTANT* [illisible] *L'INSTANT DE MA PROPRE* [illisible]

ONZE

Milo avait remonté la caisse à monnaie au grenier. Avec le minuscule roman de *Giant Joe* caché à l'intérieur, parmi les autres pièces à conviction. La clef avait rejoint le trousseau. Les choses étaient de nouveau à leur place. Mais cela ne suffisait pas.

Le vélo électrique reposait sur la selle et le guidon, comme un scarabée sur le dos. Avec une clef de treize, Milo desserra l'axe de la roue arrière, qu'il rapprocha du pédalier pour détendre la chaîne.

Une fois la roue désolidarisée du cadre, il glissa les démonte-pneus en plastique le long de la jante et coinça les crochets dans les rayons. Il raccorda le tuyau d'arrosage au robinet de la terrasse, et remplit une bassine. L'adolescent libéra ensuite la chambre à air, en dévissant l'écrou et le bouchon de la valve. Avec la pompe à main, il regonfla le boyau rapiécé et le passa dans la bassine.

Sous ses doigts, les rustines faisaient des pustules sur la peau douce du serpent noir. Milo pensa à son grand-père, qui avait procédé aux réparations du vélo de sa femme au fil des ans, et à toutes ces horreurs sur les murs, qu'il voudrait n'avoir jamais lues. Il cracha dans l'herbe, essuya son menton baveux avec son épaule. Trop de choses en lui refusaient de sortir, des vérités qui restaient en travers de sa gorge.

Il localisa la fuite assez rapidement, grâce au chapelet de bulles qui s'échappait du trou. Milo garda l'ongle du pouce près du petit accroc pendant qu'il essuyait le caoutchouc avec un chiffon, avant de le frotter avec du papier de verre pour que la colle adhère.

Quand la rustine fut en place, il regonfla la chambre à air pour en vérifier l'étanchéité dans la bassine. Une demi-heure plus tard, le vélo de Mamette ne demandait qu'à parcourir le monde.

Avant de vider l'eau dans le potager, Milo plongea ses pieds nus dans la bassine. Son grand-père faisait souvent cela, en robe de chambre devant la télévision, pour faire circuler le sang. L'eau très chaude soulageait ses migraines, rendait ses acouphènes plus supportables.

*

Alors qu'il refermait la porte du garage, une Kangoo de la gendarmerie se garait dans la cour. Deux types en descendirent en se décollant le papier des bonbons. Ils portaient des polos bleu ciel auréolés de transpiration et des casquettes marine siglées d'une espèce de pomme de pin.

– Vous êtes bien monsieur Loustalet ? demanda le plus gros en caressant machinalement le holster où il rangeait son arme.

L'irruption des forces de l'ordre déclenchait une tempête sous le crâne du garçon. Prison ferme pour Mamette. Travaux d'intérêt général pour lui. Amende pour ses parents.

– Loustalet, c'est le nom de ma mère, il dit d'une voix chevrotante. Moi, c'est Karski, Milo Karski avec deux *k*.

Le sang pulsait à ses tempes. Il luttait contre un début de perturbation intestinale.

– Karski, répéta le flic. C'est polonais ?

– Qu'est-ce que vous me voulez ?

Milo imaginait que la liste de ses conneries défilait au-dessus de sa tête comme les filtres animés des *story* Instagram qui déterminent à quoi on pense.

– Vous habitez là ?

– Non, à Paris. Je suis en vacances chez ma grand-mère jusqu'à la fin du mois. Elle est à son club de rando.

Le flic acquiesça comme s'il cherchait simplement à vérifier que le jeune homme ne mentait pas.

– On aurait quelques questions à vous poser, au sujet de l'affaire des scouts.

Le plus jeune souleva sa casquette, passa une main tatouée dans ses cheveux taillés en brosse, et l'essuya sur son pantalon. Des fleurs, des roues crantées, et des clefs à molette couvraient ses avant-bras. *Giant Joe* avait son épouse dans la peau du biceps droit. Au-dessus d'un autre nom, criblé de points d'encre verdis pour le rendre illisible.

– L'affaire des scouts ? demanda Milo naïvement.

– Intoxication alimentaire, dit le gros en sortant un carnet de sa poche arrière. On nous a collé ça dans les pattes… D'après les gosses, la meute des…

Il tourna les pages de son carnet.

– … *Castors blancs* serait passée ici remplir des gourdes.

– Pas des gourdes, les réserves d'eau pour la vaisselle.

– Jouez pas sur les mots, dit le tatoué en plissant les paupières.

Les flics se croyaient dans une scène de film, quand l'interrogatoire se transforme en piège tendu au coupable.

– Vous pourriez nous détailler avec précision ce qui s'est passé ?

La respiration de l'adolescent se calma à mesure qu'il élaborait mentalement sa réponse.

– Un matin, vers onze heures, j'arrosais le jardin, ma grand-mère était à la marche nordique… Les scouts sont arrivés, ils m'ont demandé de l'eau, et voilà quoi… On a rempli les bidons et ils sont repartis.

Le gros prenait des notes avec un minuscule crayon de papier.

– Et cette eau, elle venait d'où ?

La gorge de Milo se serra, autour des cordes vocales. Il toussota dans son poing moite.

– On va devoir prélever un échantillon.

Le flic claqua une main sur sa nuque pour tuer un moustique.

– Pour des tests en labo, précisa le tatoué. C'est la procédure.

Ils suivirent le garçon sur la terrasse, jusqu'au robinet d'eau potable sur lequel il avait raccordé le tuyau d'arrosage.

Le gros ouvrit une poche stérile qui contenait des boites en plastique.

– Laquelle on utilise ? il demanda à l'autre.

– Aucune idée, j'ai jamais fait ça. Mais faut que tu mettes les gants.

– Putain, les gants.

Le gros retourna à la voiture pour s'équiper. Après concertation, ils remplirent deux fioles dont ils refermèrent les bouchons rouges avant de poser les scellés, et de les glisser dans un sac transparent, lui aussi sous scellés.

– Est-ce que vous auriez autre chose à ajouter ? demanda le tatoué. Une information qui pourrait sembler utile, un détail.

– Euh non, je vois pas... Ah si, ils ont voulu m'aider à ramasser les légumes et les œufs. C'était sympa, j'ai bien apprécié.

Les gendarmes sourirent, attendris et soulagés d'avoir accompli leur mission du jour.

– On aurait une dernière requête, dit le gros à la peau huileuse.

– Oui ?

Le Silence creusait un gouffre dans lequel Milo dégringolait sans fin.

– Ce serait possible de boire un verre d'eau ?

L'adolescent ouvrit la porte de la cuisine, qui donnait sur la terrasse, et fit entrer les agents en vitesse pour ne pas réchauffer l'intérieur.

– Fait frais ici, dit le gros en regardant la décoration murale composée d'assiettes bretonnes peintes à la main.

Les flics de choc se désaltérèrent, puis Milo les raccompagna jusqu'à la Kangoo.

– C'est quoi ça ? demanda le jeune flic en désignant la citerne en ciment sur laquelle le rosier grimpait.

– Une ancienne cuve de vin, répondit Milo d'une voix neutre.

Les gendarmes repartirent fenêtres ouvertes pour ventiler l'habitacle non climatisé. À mesure que la pression retombait, Milo réalisait qu'il était un menteur, un dissimulateur. Un criminel. Les chiens ne font pas des chats.

DOUZE

Sur son téléphone, Mamette guettait l'heure où la température extérieure serait plus basse que celle de la maison, pour ouvrir portes et fenêtres en grand. La télévision diffusait Fort Boyard à un volume oppressant. Chaque été, le son était réglé un peu plus fort.

– Je connais pas un seul candidat, elle dit en croquant un carré de chocolat noir à la fleur de sel.

Trop infusée, sa tisane avait un goût de pièce de monnaie. Milo grimaça. À l'écran, une célébrité inconnue au bataillon pénétrait dans une station de métro reconstituée.

– Je me sens pas très bien.

Le candidat se dirigeait dans l'obscurité pour trouver un interrupteur. Il trébucha, attrapa une rampe rouillée pendant qu'Olivier Minne rappelait les règles.

– *Gérald doit activer l'éclairage de secours, pour faire descendre la clef.*

Le candidat abaissa la manette et la lumière inonda la cellule en même temps que des tuyaux déversaient des torrents d'eau verdâtre. Il essayait désespérément de comprendre sa mission, alors que le reste de l'équipe beuglait des consignes contradictoires depuis le seuil.

– Je me sens pas très bien, répéta l'adolescent.

– J'ai bien nettoyé les légumes pourtant.

Milo comprenait désormais pourquoi sa grand-mère baignait systématiquement les tomates dans un mélange de vinaigre blanc et de bicarbonate de soude, avant de les cuisiner.

– C'est pas la bouffe, t'inquiète.

– La nourriture, elle corrigea.

Le niveau montait dans la cellule, Gérald avait de l'eau jusqu'aux hanches. Il cherchait la caméra du regard comme on s'en remet à Dieu.

– T'as envie de rendre ?

– Non non, je me sens pas bien c'est tout.

La célébrité inconnue poussait des cris de détresse en agitant les bras. L'eau atteignait sa poitrine. Bientôt, il ne pourrait plus respirer.

*

À minuit passé, incapable de fermer l'œil, le garçon regagna le rez-de-chaussée sur la pointe des pieds. De la porte entrouverte de sa chambre, il distinguait les ronflements de Mamette. Dans la cuisine, le grésillement du frigo et le tic-tac de l'horloge troublaient le Silence. La lumière du lave-vaisselle clignotait. Il détacha un sac poubelle du rouleau, rangé sous l'évier, et sortit pieds nus sur les cailloux.

L'odeur des incendies flottait encore dans la nuit tiède, portée par de timides rafales. Au garage, il enfila les bottes de son grand-père, et transporta l'échelle jusqu'à la citerne. Il monta côté rosier, pour ne pas réveiller Mamette, dont la chambre donnait sur la face arrière du cube.

Redescendre le terrorisait, mais il avait besoin de mettre un terme à cette histoire, pour avancer.

Dans la citerne, le bruit des coquilles d'escargots écrasées lui déclencha une série de haut-le-cœur, dont l'écho renvoya le brouhaha lugubre. Il fut long à reprendre ses esprits. L'odeur âcre des remontées gastriques stagnait dans ses narines, alors qu'il sondait le fond de la cuve à mains nues. Il ramassa le crâne, l'ausculta dans la lumière bleutée du téléphone. Les orbites couvertes de mousse noire. La mâchoire inférieure carrée. Le visage de son grand-père apparut en surimpression. Ses yeux bleus de husky. Son sourire inversé, qui le quittait rarement. Milo trouva un probable fémur, une poignée d'os plus courts, l'un des appareils auditifs, et fourra le tout dans le sac poubelle.

Alors qu'il se débattait avec l'échelle, depuis le toit de la citerne, le faisceau d'une lampe l'éblouit.

– Les mains en l'air, cria Mamette en pointant un fusil dans sa direction. Qu'est-ce que vous fichez sur mon toit ?

*

Le Silence les prit dans ses bras. Le Silence les guida. Le Silence creusa la tombe, et enterra les restes de *Giant Joe*. Le Silence récita une prière.

Milo et sa grand-mère passèrent de longues minutes à se recueillir devant la croix de fer, plantée entre l'oiseau et le chien, morts d'avoir bu l'eau polluée par la décomposition du cadavre.

– Je suis un monstre.

L'adolescent ne parvenait pas à porter de jugement. Ses avis étaient tranchés d'ordinaire, il y avait des bons et des méchants. Là, c'était plus subtil.

– À cause de lui, osa Milo.

– Il a souffert, lui aussi, tu sais. La violence est plus contagieuse qu'un virus… On l'attrape, on la transmet… Je… Je ne sais pas ce qui m'a pris…

Mamette se replongea dans ses souvenirs.

– Il était descendu avec son matériel, pour boucher les fissures de la cuve… Du ciment dans un bac, sa radio à piles et un projecteur pour y voir clair Ça faisait longtemps que j'attendais le bon moment. Depuis la première fois où…

La vieille femme tenait son fusil comme un bâton de marche, la crosse posée au sol.

– La concentration, la musique… Il m'a pas vue remonter l'échelle par la trappe et refermer. J'ai attendu un peu, sur le toit, puis il s'est mis à gueuler que j'allais le payer très cher… Ça m'a confortée dans ma décision.

Mamette se gratta frénétiquement le cou, à s'en arracher la peau.

– Il a tapé avec sa truelle pendant quatre jours et quatre nuits.

Milo se retenait de respirer, pour ne pas troubler la confidence.

– Au cinquième jour, j'ai bien cru devenir folle.

Mamette adressa un sourire triste en direction de la croix de fer.

– Je suis montée sur la citerne, j'ai entrouvert la trappe et jeté ses médicaments dans le trou.

– Quels médicaments ?

– Xanax, une boite de trente. Vingt ans qu'il en prenait un comprimé le soir, avant de se coucher… Il a arrêté de cogner le mur… Je l'ai entendu gratter plusieurs jours, ensuite, et puis plus rien.

– Du coup, c'est lui qui s'est tué ?

– Si on veut, dit Mamette. Mais c'est moi qui l'ai condamné… Avaler toute la boîte pour abréger ses souffrances, ou agoniser jusqu'à mourir de soif, noyé… Ou intoxiqué par une bactérie. C'est vite vu.

– Les gendarmes sont venus.

Mamette sursauta, comme si Milo venait de la réveiller.

– Qu'est-ce qu'ils voulaient ?

– Ils ont…

L'adolescent chercha ses mots.

– … ouvert une enquête sur l'intoxication des scouts… La meute était passée à la maison, prendre de l'eau polluée de la citerne pour leurs réserves. C'est sans doute ça qui…

Mamette porta sa main libre à sa bouche. Ses lèvres et ses doigts tremblaient.

– Tu aurais dû m'en parler.

– Comme la citerne est vide à cause de la sécheresse, j'avais raccordé le tuyau d'arrosage au robinet de la terrasse.

La fierté gonflait la poitrine de Milo.

– Les gendarmes ont prélevé des échantillons d'eau potable…

– On va leur dire la vérité, coupa Mamette. J'en peux plus de vivre avec le Silence.

Le garçon expira bruyamment. Un chien aboyait au loin. Le ciel commençait à changer de couleur. Milo entraîna sa grand-mère vers la maison.

– J'irai voir les gendarmes demain, elle dit en cachant le calibre douze de son mari dans le vide-sanitaire, grâce à une trappe sous le paillasson de la cuisine.

– S'il te plaît, non. J'aimerais continuer à passer mes étés ici… Avec toi.

Milo chercha des arguments, avant de ependre.

– Personne le sait… Ce sera notre Secret.

Du placard au-dessus de l'évier, Mamette sortit deux tasses.

– Je vais nous faire infuser du thym.

TREIZE

Une table en bois de récupération, du mobilier bricolé avec des branches et de la ficelle, le campement abandonné des scouts offrait un accueil digne d'un hôtel étoilé.

– La *Brèche des damnés,* dit Justine en désignant l'inscription à la peinture blanche sur un rocher. C'est là qu'ils jetaient les condamnés dans le temps.

De l'autre côté d'une rambarde en bois, la fameuse fissure scindait la roche comme après un tremblement de terre. On ne distinguait pas le fond, qui débouchait sur un gouffre monumental et un lac souterrain prisé par les spéléologues.

– Doit y avoir tout un tas de squelettes au fond, elle ajouta en déballant son sandwich.

Milo cassa la coquille d'un œuf dur sur la table, et commença à l'émietter. Le reste de son repas se limitait à une tomate cœur-de-bœuf rincée au bicarbonate, du gros sel dans un carré de papier aluminium, un quignon de pain de la veille avec du fromage de brebis, et une poignée de prunes.

– J'ai pris un Panaché dans le frigo de ma grand-mère, ça te dit qu'on partage ?

Dans un angle mort du soleil de treize heures, ils s'allongèrent sur leurs serviettes. Par le col de son tee-shirt, Justine passait le doigt sur le torse imberbe de Milo. Les yeux fermés, il lui tournicotait les cheveux.

Trouver constamment des sujets de discussion les angoissait un peu, aussi ils passaient beaucoup de temps la langue dans la bouche de l'autre. La salive de la jeune fille apaisait Milo mieux qu'un élixir. Le Silence attendait patiemment son tour. Comme l'incursion de la violence ou de la mort, l'amour ouvrait une brèche dans le réel.

Quand Milo esquissait un mouvement de recul, Justine n'insistait pas. S'il sentait une réticence, la main du garçon s'en retournait palper la hanche ou l'épaule de sa cavalière. Les amoureux étaient sur la même longueur d'onde. Implicitement d'accord pour se laisser du temps avant d'aller *plus loin*. Pourtant, quand ils s'aimaient de la sorte, des heures durant, les bras emberlificotés, ils *faisaient l'amour* sans le savoir.

Étourdis par les hormones, ils empruntèrent un passage en lacet pour rejoindre une crique isolée. En plein jour, malgré l'ombre imposante qui les surplombait, se déshabiller demeurait une épreuve. Milo trouvait son corps honteux, insignifiant, mal proportionné. La peur d'amuser ou pire, de dégoûter sa partenaire, le pétrifiait. Il ôta ses vêtements comme un vieillard, les plia et les superposa dans l'ordre où il devrait les enfiler en sortant.

Nu malgré la pudeur, il chancela sur les galets, son entrejambe cachée dans ses mains en coupe. Justine offrait son dos, à la naissance duquel s'épanouissaient des fesses qui attiraient inexorablement le regard du garçon. Elle entra dans l'eau avec la grâce et la fluidité des actrices de publicité pour le parfum.

– Quand on est dedans elle est bonne, elle dit en nageant vers la partie ensoleillée de la rivière.

Les zones blanches de son corps, à peine déformé par les remous, transparaissaient sous la surface. La froideur saisit Milo quand le niveau atteint sa taille. Il s'activa frénétiquement, une fois immergé, et rejoignit Justine où ils n'avaient pas pied.

Un sentiment d'abandon l'envahit. Il nageait dans le ciel. Devenait un personnage dans une toile de peintre célèbre. Les corps se jaugeaient, se tournaient autour. Dans le plus simple appareil. Partie intégrante d'une nature indifférente à leurs émois.

La main de Justine agrippa la nuque de Milo. Ses cils retenaient de minuscules gouttes qui rendaient son regard encore plus brillant. Elle passa les jambes autour des hanches du garçon, ses bras entourant sa nuque. Leurs lèvres s'épousèrent. Du chaud dans le froid. Milo sentait le pubis de Justine, contre sa cuisse. Ils restèrent enlacés. En mouvement pour ne pas boire la tasse. En apesanteur. Entre la lumière des cieux et les ténèbres du fond. Dans le turquoise de carte postale.

L'eau froide apaisait leurs incendies. Ils firent la planche, captivés par le ballet des Canadairs. Cernés par l'immensité des falaises où les arbres s'enracinaient à la verticale, qui renvoyaient l'écho des rires.

*

L'odeur de poisson qui imprégnait la peau n'enlevait rien à la magie. Alors qu'il se frictionnait avec sa serviette, face à la paroi, une voix rauque interpella Milo depuis l'autre berge.

Accroupi, un type lavait son slip dans la rivière. Son regard évoquait la folie. Son sexe rose et pointu émergeait de ses poils comme un barbu qui tire la langue.

– Alors. T'as retrouvé qui tu cherchais ?

Le clochard, dérangé dans sa grotte grâce au flair de Sugar, se passait le visage à l'eau claire.

– Oui et non.

– Il était dans une autre caverne ?

Des rapaces traçaient des cercles dans le ciel, que reflétait la surface étale.

– En quelque sorte.

L'ermite se redressa, fit quelques pas prudents pour ne pas s'écorcher les pieds sur un galet pointu ou un morceau de verre.

– J'en étais sûr, il dit avant de disparaître dans les profondeurs.

QUATORZE

La pleine lune et le phare de la Honda CG montraient le chemin. À coups de marteau, Milo avait brisé la chaîne de transmission pour pousser plus facilement la moto le long des bas-côtés. Il refusait de s'asseoir sur le siège rapiécé, de démarrer le moteur, d'actionner la poignée des gaz.

Dans ses écouteurs, Justine dormait à poings fermés. Milo imaginait ses narines qui frissonnaient à peine, le voile léger du drap sur sa peau dénudée. Il avait coupé le micro du kit mains-libres, pour que ses halètements ne la dérangent pas.

Il transpirait à grosses gouttes. Les crampes lui torturaient les épaules, ses tongs lui cisaillaient les orteils. Il avait soif. L'effort physique faisait partie de la pénitence.

Au bout de sa vie, il s'arrêta au bord d'un fossé, posa le front sur le compteur kilométrique. Les grillons chantaient. Quand il releva les yeux, deux points blancs dansaient à l'horizon. Disparaissaient derrière les arbres ou dans un vallon, pour ressurgir plus vifs et plus inquisiteurs.

La fourgonnette à bétail ralentit dans un fracas de ferraille. L'ombre de la silhouette courbée sur le guidon glissa lentement sur l'herbe avant de s'immobiliser.

– Vous avez besoin d'aide ?

Accoudée à sa portière, la conductrice d'un certain âge semblait avoir tout son temps. Elle portait des cheveux courts argentés et une chemisette d'homme trop large.

– Non, c'est bon merci.

À cause de la différence d'âge, ou pour instaurer une forme de complicité, elle se mit à le tutoyer.

– Tu vas où comme ça ?

– Nulle part.

Elle coupa le moteur et sortit un paquet de bonbons *Fisherman's Friend* d'une poche à sa poitrine.

– T'en veux ?

– Non merci.

Elle en goba un, et replia l'ouverture comme on roule une cigarette.

– Je m'appelle Janique. Je marche avec ta grand-mère, et j'ai bien connu son mari aussi…

Milo écarquilla les yeux.

– Tu pourrais peut-être retirer tes écouteurs ?

Il s'exécuta, comme sous hypnose, et laissa pendre les fils sur sa poitrine. Janique aspira une bouffée d'air, savoura l'effet de fraîcheur procuré.

– Qu'est-ce tu fabriques là tout seul en pleine nuit, tu fais pas de connerie, hein ?

La fatigue accumulée ces derniers jours accablait Milo. Il fixa ses ongles de pied noircis par la poussière et l'obscurité.

– Mon grand-père, vous le connaissiez d'où ?

– J'habite la ferme derrière l'église. Il venait souvent me voir à une époque… Tu sais…

Janique fit passer le bonbon d'une joue à l'autre avec sa langue.

– Il plaisait aux dames, il avait du charisme,

des tas d'histoires à raconter... Un vrai mâle dominant, très viril, mais... C'était pas forcément quelqu'un de bien.

La vieille chercha une lueur d'espoir dans le regard du garçon.

– Tu vaux mieux que lui, crois-moi.

– Vous en savez rien.

Durant ce premier mois d'été, Milo avait vu s'effondrer son modèle masculin. La mort et l'amour s'étaient immiscés dans son quotidien si tranquille. L'adolescent se sentait dépassé. Insuffisamment armé, à quatorze ans bientôt révolus, pour affronter l'avenir et le passé.

– Ta grand-mère a eu raison de faire ce qu'elle a fait.

Milo resta sonné, KO debout, alors que ses yeux s'emplissaient comme deux lavabos.

– Vous... Vous...

– Pleure gamin, elle dit en croquant la pastille mentholée. On a plus besoin d'hommes en larmes que d'hommes en armes.

*

Janique l'aida à coucher la moto sur le plateau de la bétaillère, parmi les crottes de mouton, et déposa Milo sur le parking.

– Si on avait eu le même âge, j'aurais voulu être amie avec toi, elle dit avant de s'en retourner traire ses bêtes.

Milo poussa la Honda dans la côte, feux allumés, jusqu'à la *Brèche des damnés*. Il contourna la barrière, pour se poster au bord du gouffre.

Le caoutchouc des poignées lui brûlait les mains. La Vouvre scintillait çà et là, au gré de son parcours tortueux. Elle semblait hésiter, comme si elle ne savait plus dans quel sens couler. Les nuages de plus en plus denses croquaient des bouchées de lune.

Il lâcha le guidon. La moto roula au ralenti, piqua du nez dans le trou, rebondit contre les parois. Dans un dernier grincement, elle s'immobilisa, prise dans l'étau de la roche.

La lumière du phare découpait la crevasse dans l'obscurité. Une zébrure de feu semblable à celle des illustrés de science-fiction que collectionnait le père de Milo.

Les variations d'intensité, à mesure que la batterie s'étiolait, rendaient l'atmosphère surréaliste. Le brasier consumait le ventre de la nuit. Milo captura l'image dans son téléphone, et s'assit en tailleur pour observer la faille. Hypnotisé par son halo réconfortant.

QUINZE

Assis sur l'appui de fenêtre de la salle de bains, Milo observait la campagne alentour. Chaque détail imprégnait sa rétine pour se graver dans sa mémoire. Église romane sur la colline au loin, nuages qui s'amoncelaient, ruine d'un moulin à vent. Ce mois de juillet resterait le plus noir de son existence. Le plus noir et le plus lumineux.

Le matin-même, pour faciliter la séparation, il avait voulu être désagréable. Tout gâcher. Mais Justine lui avait laissé un débardeur avec son parfum, et Milo avait craqué. En le rangeant dans sa valise, il avait deviné le post-it glissé à l'intérieur. À la hâte, il avait déchiré un bout de papier, griffonné un *je t'aime* au feutre, avant de cacher le mot dans l'un de ses tee-shirts sales.

Mamette avait alimenté la discussion, pour étouffer le Silence des adieux. Les incendies maîtrisés, la piscine de nouveau accessible. Elle allait pouvoir retourner nager. L'été, si elle n'avait pas ses mille mètres… En empilant des courgettes dans une boîte à chaussures pour les parents de Justine, elle avait vanté la neutralité de leur bilan carbone… Par contre, il faudrait bien les nettoyer, à cause des traitements pour les vignes.

*

Milo aperçut la Volvo sur la route du hameau. Le break disparut derrière les habitations, avant de se matérialiser dans l'allée. Avec la contrebasse dans le coffre, comme un cercueil dans un corbillard, car son père rentrait d'une résidence avec son groupe.

Sa haute silhouette en pantalon serré, surplombée de boucles poivre et sel, se déploya dans la cour. Il regarda les arbres du verger, puis jeta un œil à sa montre.

Après les politesses d'usage, ils prirent la route. Le roulis rassurant du break climatisé berçait Milo. À la radio, Elvis chantait *I'm all shook up*.

– Direction la maison, dit son père en lui empoignant le genou.

Il avait besoin de ce contact physique quand il retrouvait son fiston, de vérifier la consistance de la réalité. Milo abaissa le pare-soleil, souleva le clapet du miroir pour contrôler la pousse de sa moustache.

– Y'aura Bruno ?

– Non.

Le père gratta la barbe qui repoussait sur sa joue.

– On s'est séparés.

– Ah… Ok. Et ça va ?

– Ouais ouais t'inquiète.

– Pourquoi tu m'as rien dit au téléphone ?

– Je préférais te l'annoncer en vrai.

Le père se détourna de la route, pour capter le regard de son fils.

– On va faire quoi ce mois-ci ?

– Je sais pas trop, il dit. On pourrait partir quelques jours… Aller voir les cousins au moins.

Ils doublèrent un agriculteur torse nu sur son tracteur.

– T'as des concerts de prévu ?

– Marcillac en trio, jeudi, et sinon deux ou trois plans solo, mais tu pourras m'accompagner si tu veux.

– On verra. Tu sais que maman est enceinte ?

Le père lâcha l'accélérateur, la Volvo ralentit.

– Depuis combien de temps ?

– Sept mois et demi.

Il siffla entre ses dents.

– Mais c'est super… Pourquoi tu me l'as pas dit avant ?

– Je crois qu'elle voulait t'en parler, mais…

– On se parle plus trop tu sais.

La voiture prit à droite, longea le bois, puis la salle des fêtes. Le vélo de Justine reposait contre la grille de la piscine, attaché à celui de Shen.

– Fille ou garçon ?

– Devine.

Le père consulta le rétroviseur, émit un grognement d'hésitation.

– Je dirais…

Ses doigts agiles pianotèrent sur le volant.

– Bonhomme !

*

À la rentrée, Milo Karski « avec deux *k* » aurait quinze ans, trente heures de cours hebdomadaires dans l'un des plus grands lycées de la capitale, et un petit frère à temps complet. Après maintes réflexions, il avait choisi son deuxième prénom. Ce ne serait pas Jean, mais Justin.

Pour l'heure, Milo Karski « avec deux *k* » avait du verre brisé dans la poitrine. Mille petits morceaux transparents qui tremblaient quand il respirait. Milo voulait que le temps s'accélère, que les douleurs s'apaisent, et que l'été s'achève.

Avec le pouce, il fit défiler ses photos sur l'écran tactile. Les amoureux d'un peu trop près, juste avant les adieux. Grimaces, *duck face,* smack furtif. La planète mystérieuse qui se consumait de l'intérieur. Les lettres majuscules gravées dans le ciment. La truffe de Sugar en gros plan. Le feu éteint devant la grotte. Milo coiffé d'un chapeau de cow-boy. *Giant Joe* et son œil au beurre noir. Le petit oiseau mort. Sa gorge rouge. Tuméfiée.

Les cristaux liquides de l'ordinateur de bord changèrent de couleur, à cause d'une baisse de luminosité. Des nuages plus épais que du goudron gonflaient à l'horizon. En s'écrasant sur le pare-brise, les gouttes formaient de minuscules pattes de chat. Après des mois de sécheresse, il pleuvait enfin. Le tempo de l'averse s'accéléra. Le père monta le volume de l'autoradio.

Milo baissa la vitre, passa la tête par l'ouverture. La vie allait reprendre. Elle reprenait toujours. Il ouvrit grand la bouche pour boire toute l'eau du ciel.

BIOGRAPHIE

Yvan Robin est né en 1983, il vit à Bordeaux. Arrivé en littérature par la musique et la poésie, il écrit des romans noirs depuis une dizaine d'années. Son roman *Après nous le déluge*, publié par In8, paraitra en poche chez J'ai Lu en octobre 2023.

BIBLIOGRAPHIE

Après nous le déluge, In8, 2021.
La Fauve, éditions Lajouanie, 2022.
L'Appétit de la destruction, éditions Lajouanie, 2019.
Travailler tue !, éditions Lajouanie, 2015 (poche 2020).
La Disgrâce des noyés, éditions Baleine, 2011.

DANS LA MÊME COLLECTION

FACTION

Comme ton père, Gilles Abier

L'enfer, Marin Ledun

Eye Track, Sébastien Rutés

La mer sans le bleu, Rachel Corenblit

Des rires de Hyènes, Marion Brunet

Les Romanichels, Gendronax

Malencontre, Laurence Biberfeld

Spoil !, Cédric Fabre

On mange froid, Laurent Martin

Frater, Nicolas Jaillet

Pharos, Sébastien Rutés

Achevé d'imprimer en UE
en juillet 2023
pour le compte des Éditions In8

Dépôt légal : septembre 2023